FAMA Y MUERTE

CRÍMENES EN TIERRAS VIOLENTAS Nº 1

RAÚL GARBANTES

Página web del autor:
www.raulgarbantes.com

amazon.com/author/raulgarbantes
goodreads.com/raulgarbantes
instagram.com/raulgarbantes
facebook.com/autorraulgarbantes

Obtén una copia digital GRATIS de *Miedo en los ojos* y
mantente informado sobre futuras publicaciones de Raúl
Garbantes. Suscríbete en este enlace:
https://raulgarbantes.com/miedogratis

———

NUNCA SE IMAGINÓ que moriría de esa forma. Lo cual ahora, mientras su rostro se enrojece e hincha por la presión ejercida sobre el cuello, le parece fatalmente irónico. ¿Cuántas veces —y de cuántas maneras— no había muerto ya sobre las tablas, en un escenario o ante una cámara? Podría contarlas, pero no es el tipo de cosa que uno hace en el instante en que es asesinado. Había muerto envenenada en el momento menos esperado, apuñalada por la espalda, también por un disparo mientras protegía al amor de su vida... La lista no era corta.

Forcejea, intentando aliviar, así sea solo un poco, la presión que la ahoga. Se mueve de un lado a otro, con fuerza estrella a su atacante contra una pared, se quiebra un espejo, se cae un jarrón. Por último, trata de saltar, pero cae de espaldas sobre su agresor, quien no la suelta.

Ya era difícil dominar su mente en condiciones normales. Aunque «normal» quizá no sea la palabra. A menos que sea la normalidad de los que beben directo de la dorada ubre de la fama y el éxito. Incluso ahí, cuando todo parece estar bien, cuando uno creería que no hay nada de qué preocuparse... Si la vida no te da problemas, uno mismo se los inventa. Pero la gente sigue creyendo que uno es intocable, una fortaleza impenetrable e invulnerable. Y así, la gente le sigue adorando. Aparentar es un arte que nunca pasa de moda. Los actores lo saben de sobra.

El brazo que envuelve su cuello redobla la fuerza. Lo aprieta un poco más. Su boca se abre y de ella salen sonidos extraños. Le es imposible moverse. Desde el suelo puede ver un lápiz labial, todavía rodando, mientras agita sus brazos, tratando de defenderse. Ahora siente el agua mojando la planta de sus pies, que se deslizan, buscando inútilmente un punto de apoyo. Piensa en sus flores. Aunque su vida se va apagando, sigue esperando que alguien grite «¡corten!» o «¡repitan la escena desde el comienzo!».

Tampoco se imaginó que morir se sentiría así en verdad. Varias veces ella visitó a personas que agonizaban para estudiarlas, grabar sus gestos. También miró grabaciones de suicidios asistidos. Se tomaba en serio su carrera. Quería llegar lejos, más lejos que nadie. Y lo estaba logrando. Pero ahora se encontraba en el umbral definitivo. Quien lo cruza nunca vuelve. Y si bien alguna de esas muertes fingidas le mereció el reconocimiento de los críticos y la alabanza de sus colegas, nada de eso la preparó para esto, para esta desesperación. El aire se acaba, las fuerzas se le escapan. El camerino se va despojando de sus vivos colores. «Al menos muero como una mujer de Hitchcock», piensa. El espejo donde se miran las celebridades es el mismo donde se miran las personas corrientes, las que nadie conoce, las que nadie recordará. Pero ven cosas distintas. Las últimas ven deseos, y las primeras, la ilusión de su satisfacción.

Si tan solo hubiera una cámara grabando esto. Qué importa morir, qué importa el crimen, qué importa el culpable. Pero la escena, esta escena... Qué perfecta es. O si al menos hubiera espectadores. Aunque sea uno. En fin, alguien que viera esta única actuación. Sin duda se le pondría la piel de gallina. Si esta fuera la escena final de la película, en el cine, no faltaría la mujer que tratara de esconderse detrás de su pareja, horrorizada. Y al finalizar, se levantaría de su butaca y aplaudiría. Con suerte, con lágrimas en los ojos. Las lágrimas (o las risas) de los espectadores son el verdadero premio. Cómo le hubiera gustado dirigir. Cine o teatro, o ambos.

La escena transcurre en silencio, las luces se van apagando y solo queda la principal, que los ilumina a ellos, los actores de la escena.

Sus brazos caen a los lados, sus piernas ya no se mueven.

Deja ir su último aliento.

Sus ojos quedan abiertos.

Fuera luces.

Telón.

2

Era de noche cuando llegó a la capital. Llovía. No era una lluvia fuerte pero sí constante. No paraba y tampoco parecía aumentar o disminuir un ápice. La estación estaba atestada de gente de todos los tamaños, de todos los colores, de todas las edades; atestada de sonidos, risas, gritos, madres regañando a niños que lloran, hombres peleando por teléfono. Y, sin embargo, el conjunto le daba la impresión de un movimiento controlado, sin exabruptos mayores. No se imaginó que hubiera tantas personas entresemana. Pero suponía que así debía ser siempre en la capital. Al salir sintió el alivio del aire fresco, e incluso agradeció la lluvia mientras salía a la calle principal para pedir un taxi.

Cuando llegó uno, el conductor no pudo ocultar su sorpresa al ver el poco equipaje que llevaba.

—¿Eso es todo? —le preguntó.

—Sí —respondió ella con parquedad.

Estaba claro que para Aneth Castillo no era su primera vez en la capital. No solo le dijo al taxista a dónde se dirigía —una pensión de una señora entrada en años, barata, donde se quedaría provisionalmente—, sino que también dio indicaciones sobre cuáles vías tomar para llegar más rápido. Sin embargo, la lluvia entorpecía todos los caminos, conocidos o desconocidos. El taxista trataba de hacer conversación para aliviar la pesadez del tráfico. Pero ella solo respondía con sonidos escuetos, lo mínimo necesario para hacer entender que estaba allí, que oía sus palabras. En realidad, no le prestaba atención, pero esto al hombre le tenía sin cuidado. Después de todo, no le preguntaba nada sobre ella. Ignoraba que, en realidad, la pasajera no era de la capital y sería la primera vez que viviría en ella.

En su mente, repasaba lo que haría al llegar a la pensión. De seguro tendría que intercambiar varias palabras con la dueña, contarle de dónde venía, cuánto tiempo pensaba permanecer, era probable que le ofreciera algo de tomar. Un té, quizá, para recibirla en una noche lluviosa y fría como esa. Solo esperaba no perder mucho tiempo en esas minucias. Luego subiría a su habitación —sería ideal tener al menos dos opciones—, ordenaría sus contadas pertenencias y, de ser posible, se enteraría de las noticias de la noche. Esto era lo que más le interesaba y se podía decir que todo lo anterior era solo algo por lo que había que pasar.

De sus pensamientos la sacaron voces de protesta y gritos de consignas. Esa era, precisamente, la razón por la cual le interesaban las últimas noticias de la noche. A lo largo de la última semana habían muerto tres personas pertenecientes a minorías étnicas a manos de la policía. Los hechos fueron grabados por testigos que, por alguna razón u otra, se encontraban en el lugar. Y, a juzgar por la evidencia, las muertes eran totalmente injustificadas. Ella sabía que había defectos en el funcionamiento de la Policía, que había oficiales corruptos. También sabía que esto ocurría desde siempre, pero nadie quería aceptarlo. Todos querían creer la mentira de que no existían el racismo, el sexismo ni la homofobia. Ni hablar de la comunidad transgénero. Y lo peor era que, en su mayoría, estos abusos de fuerza eran realizados por hombres blancos. Ahora mismo puede observar a unos oficiales que tratan de quitarle una pancarta a un grupo de mujeres. Oficiales blancos, mujeres negras. Esto puede ponerse feo. Decide quedarse en el lugar, así que le pregunta al taxista cuánto le debe, paga y se baja del auto.

Al acercarse más a la escena, puede distinguir lo que dice el cartel. «Un policía muerto no puede matarnos», en grandes letras blancas. Ahora advierte que los oficiales se ponen más agresivos y las mujeres empiezan a alzar más la voz. Decide apurar el paso.

—¡Oficiales! —grita con firmeza—. Dejen a las mujeres. No están haciendo nada.

Estos voltean y por un momento se dejan distraer por su sutil atractivo.

—Mantente fuera de esto, bombón —le dice uno—. Sabemos lo que hacemos.

Al ver que la ignoran, se acerca un poco más y deja sus cosas en el suelo. Uno de los oficiales voltea y trata de ponerle una mano encima. Ella, que ya se lo esperaba, lleva una de sus manos al bolsillo y con la otra toma la muñeca del oficial, aplicándole una llave con un movimiento casi imperceptible. Mientras el hombre es reducido, los otros voltean y la observan mostrándoles una identificación.

—Inspectora Castillo —dice—. ¿Quieren una denuncia por abuso de fuerza ante el comandante Sotomayor? Se la puedo hacer llegar directamente, ya mismo.

Las mujeres, por su parte, permanecían atónitas no solo por la escena, sino porque su protagonista era blanca. La inspectora suelta al oficial mientras los otros tratan de retomar la compostura.

—¿Y? —continuó—. ¿Vamos a tener problemas? ¿Más problemas de los que ya tenemos?

Los oficiales respondieron negativamente y se retiraron, regresando al cordón de seguridad. Las mujeres se acercaron para celebrarla, pero ella las detuvo al instante con un ademán.

—Ahórrense el gesto, no hay nada que celebrar —les dijo —. Solo esperemos que nadie las mate a ustedes. —Entonces señaló la pancarta—. Y que nadie me mate a mí.

Tomó sus cosas del suelo y se retiró un poco del bullicio, dirigiéndose a una tienda. Al entrar, el encargado la miró con cierta preocupación.

—¿Se encuentra bien? —preguntó, viendo a una agitada mujer—. ¿Tuvo que correr de ese desorden?

No había reparado por completo en ello, pero el breve altercado la había dejado sudando, con el corazón acelerado, y algo nerviosa. Todavía no podía evitar ese tipo de reacciones en su cuerpo.

—Estoy bien —dijo como si nada—, soy de la fuerza. Deme un agua mineral, por favor.

El hombre hizo un gesto para excusarse y le entregó el agua.

—No se preocupe —le dijo—. Va por la casa.

Ella lo miró a los ojos un instante, contrariada. Luego sacó algo de dinero.

—Le agradezco —le dijo ella mientras se lo entregaba—, pero prefiero pagar como cualquier otra persona.

El hombre volvió a hacer un gesto parecido, un poco más afectado que el anterior. Ella, no queriendo ser muy antipática, decidió preguntarle algo.

—¿Ha estado muy agitada la manifestación? —preguntó —. Yo acabo de llegar.

—La verdad, todo estaba transcurriendo pacíficamente,

7

pero hace poco se dieron a conocer noticias de otra muerte. Esta vez fue una transgénero, en San Isidro.

—Mierda... —alcanzó a decir.

Abrió la botella y bebió con vehemencia. Después del trago, dejó salir una exhalación de gran satisfacción. En eso escuchó que llegaba una llamada a su celular. Dejó la botella de agua en una mesa cercana y comenzó a palpar su saco para ubicar el teléfono. Lo sacó y miró la pantalla, que mostraba el nombre Carlos Sotomayor. Le pareció extraño que el jefe la llamara. No la esperaban sino hasta mañana en el Departamento de Policía.

—Comandante, aquí Aneth Castillo —dijo.

—Inspectora Castillo —respondió el hombre con un tono muy neutral—, primero que nada, permítame felicitarla por su promoción a inspectora. Y también por la transferencia a la capital.

—Muchas gracias, comandante. Me siento muy afortunada de haberla obtenido.

—La fortuna nos ayuda muy poco en este trabajo, inspectora. Prefiero la versión de los colegas que me dicen que se tiene bien merecida esa promoción.

—Trabajo muy duro —dijo ella casi vacilante— y me gusta mi trabajo, señor.

—Eso es lo que quiero escuchar. Es lo que necesitamos. Sobre todo ahora. Me imagino que estará al tanto de la situación aquí en la capital.

—Precisamente, acabo de llegar a la ciudad, señor.

—Entonces ya habrá visto el circo.

—Sí, señor.

—Por culpa de unos pendejos nos van a cagar la fuerza. Y también ese maldito doctor Malewski, entrenando muchachos para que disparen primero, que luego él mismo responde las preguntas.

—Es muy lamentable, señor.

—Pues, inspectora, no pudo llegar en mejor momento. La necesito ya mismo. Teatro Imperial. Llegue cuanto antes.

La llamada había terminado y Aneth se quedó viendo su maleta y el morral. Mujer prevenida vale por tres. Pedro, su padre, siempre se lo decía, viaja mejor quien va más liviano. Tomó sus cosas, le dio las buenas noches al encargado y salió de la tienda. Mientras caminaba para conseguir un taxi, recibió un mensaje en su celular. Lo revisó. Era Vicente, preguntándole cómo había llegado. Guardó el celular, pensando en responderle luego.

3

HABÍA varios autos estacionados en la entrada del Teatro Imperial. Dos de ellos eran patrullas. Un modesto cordón policial mantenía a los curiosos a raya, haciendo preguntas, diseminando rumores. La estructura del edificio no era impresionante, al menos no por su tamaño. Sin embargo, parecía tener mucho tiempo de construido. Y esto, sin duda, le daba un encanto único. Aunque conocía la capital un poco, había muchos lugares que aún le faltaba descubrir a la inspectora Castillo. Después de mostrar su identificación a unos oficiales, entró al edificio.

La antesala era ovalada, de techo alto y muy espaciosa. A los lados se levantaban escaleras que llevaban al segundo nivel. Al frente, la entrada principal a la sala, y bajo las escaleras aparecían entradas más pequeñas que, se imaginó ella, llevarían a pasillos laterales que rodeaban el teatro. Cerca de las puertas de la sala dos oficiales parecían escuchar a un hombre que debía de tener la misma edad que ella, o cercana. El hombre era atractivo y parecía tener un estado físico óptimo. Pensó que de seguro sería un actor de teatro y luego concluyó que era muy probable que un cuerpo hubiera sido encontrado ahí. Las puertas de la entrada principal permanecían abiertas y era por donde circulaban las pocas personas que había. Al cruzar el umbral se mostró a sus ojos el espacio deslumbrante del teatro en sí: las largas filas de butacas que llegaban hasta la tarima, el techo que se elevaba con soberbia, los otros tres niveles con palcos.

A medio camino entre ella y la tarima, en el pasillo central, un hombre gordo y calvo parece haberse dado cuenta del asombro con que mira las instalaciones del teatro. El hombre deja a un grupo de oficiales que hablan con uno que parece extranjero y se acerca a ella.

—Castillo, pensaba que nunca llegaría —dijo Sotomayor.

—Lo siento, señor. El occidente de la ciudad está muy congestionado.

—Sígame, inspectora —dice volteando para caminar hacia la tarima, pero se detiene un momento—. Puede dejar sus cosas con esos oficiales.

El comandante retoma el paso hacia la tarima. Ella deja sus cosas con los oficiales, que parecen no haberle prestado atención por escuchar al otro. Ahora que Aneth lo ve de cerca, confirma que sus rasgos son caucásicos. Luego apura un poco su ritmo para alcanzar al comandante. Más adelante, bordean la tarima y suben por unas escaleras de madera. El comandante, entonces, se para en medio de la tarima y, con un gesto, le indica que se acerque. Cuando llega a su lado, él estira el brazo hacia las butacas como pidiéndole que observe el lugar desde donde están. Entonces, ella gira su cuerpo en la dirección respectiva y mira el cuadro.

—Impresionante, ¿no? —le dice el hombre.

—Lo es, señor —responde Aneth—. Cuando llegué y vi el teatro desde afuera, no parecía tan grande.

—Lleva alrededor de un siglo de haber sido construido.

Claro, todos los edificios de alrededor son mucho más modernos. Y mucho más grandes también. Hay que imaginárselo hace cien años, con edificaciones de una sola planta en su mayoría, quizá algunas de dos, si acaso, unas pocas de tres... Es solo cuando se observa el teatro desde aquí que uno entiende por qué lleva el nombre que lleva.

—Tiene mucha razón en todo lo que dice, comandante. Pero ¿por qué me muestra esto?

—Quiero que se imagine —responde Sotomayor— el furor que debe sentir alguien que observa a cientos de personas ubicadas en cada una de las butacas de cada nivel que usted observa frente a sí, inspectora, y también en los palcos; quiero que se imagine, como le decía, a todas esas personas levantadas de sus asientos, aplaudiendo, aclamando, gritando «bravo», a alguien parado en el lugar preciso donde usted se encuentra... Imagínese que es usted misma quien acaba de dar un recital, o que acaba de finalizar la última escena de una obra de teatro y suben el telón y experimenta semejante ovación. ¿Qué cree que sentiría?

—La verdad —dijo ella después de pensar un momento —, no sabría decir lo que sentiría. Supongo que algo muy intenso. Poder quizá.

—Después de vivir algo así uno podría sentir que es capaz de hacer cualquier cosa, ¿cierto?

—Correcto.

Sotomayor entonces se dirigió tras bastidores. Con un gesto le pidió a la inspectora que lo siguiera. Al abandonar el escenario se adentraron en los pasillos que llevan a los camerinos. Ella había estado muy pocas veces en una sala de teatro y ninguna tras bastidores. Le sorprendió que detrás de escena se escondieran tantas ramificaciones. Por un momento sintió que entraba en un laberinto. A lo lejos, escuchaba un llanto. Parecía el llanto de una mujer.

—Esta noche, hace algo más de una hora, se encontró el cadáver de una actriz, rubia, veinticinco años, en su propio camerino. Debe saber de quién se trata. Se había convertido en toda una celebridad recientemente. Paula Rosales. ¿Sabe de quién le hablo?

—Claro —dijo Aneth, tratando de mostrarse más sorprendida de lo que en realidad estaba—. ¿No aparecía ella en esa película que hace poco fue ganadora en no sé qué festival?

—Cannes. ¿No va mucho al cine, inspectora?

—No realmente, señor.

—Lástima. Le hubiera sido útil.

Cuando empezaron a atravesar el pasillo de los camerinos, Aneth pudo observar la fuente del llanto, que ya había disminuido en intensidad y ahora solo eran sollozos que se mezclaban con una respiración entrecortada y palabras sueltas. En uno de los camerinos, dos oficiales trataban de calmar a una mujer con una apariencia sumamente delicada y linda. También se veía destrozada. Siempre le había impresionado lo femenina que podían ser algunas mujeres, siempre preocupadas porque el maquillaje no se les corra, atentas a su apariencia, usando cualquier cantidad de productos para mantener en perfecto estado sus pieles, sus cabellos, sus cuerpos en general. Sobre todo comparándose a sí misma, que creció aprendiendo sobre autos, los deportes y las caras de póker.

—Ella fue quien descubrió el cuerpo —dijo Sotomayor mientras esperaba por ella—. Ya llegará el momento de escuchar su declaración. Primero lo primero.

Unas puertas más allá, casi al final del pasillo, un oficial custodiaba lo que parecía ser el camerino principal. Cada tanto, la ráfaga de un *flash* salía desde adentro. Aunque Aneth ya llevaba algo más de ocho años en la fuerza y aunque ya había visto varios cadáveres en su vida, era la primera vez que

13

vería uno como inspectora. Sotomayor la esperaba en la entrada.

—Después de usted —dijo y con un gesto la invitó a pasar.

4

En el centro del camerino yacía el cuerpo de una mujer que parecía exactamente de veinticinco años. Si acaso, veinticuatro o veintiséis cuando mucho. Sus ojos permanecen abiertos, mirando el techo, y su rostro conserva una expresión que parece de horror. La mujer apenas tiene ropa encima. La que tiene deja ver un cuerpo muy bien conservado y que, de seguro, fue la envidia de muchas. Un charco modesto de agua moja parte de los pies y las pantorrillas del cadáver. Hay flores esparcidas por el piso y también trozos de cerámica. El espejo del camerino está roto. El vestuario está alborotado, hay prendas y zapatos dispersos por el lugar. El forense termina de examinar el cadáver y tomarle fotos.

Por un momento, los que se encontraban en el camerino suspendieron sus actividades al ver entrar a una mujer joven alta, de cabello negro, largo pero recogido, que se mostró imperturbable ante la atención que todos ellos le dirigían mientras examinaba con atención cada uno de los espacios y detalles de la habitación, como tratando de grabarlos en su mente. No eran muchas las mujeres que había en la fuerza (aunque aumentaban cada día). Y, ciertamente, muy pocas como ella.

—A ver, caballeros —dijo Sotomayor—. Sí, acaba de entrar una mujer, disimulen un poco. Es la inspectora Castillo, recién salida del horno y recién llegada de Aborín a nuestro pequeño infierno de Sancaré. Vuelvan a lo suyo. ¡Vamos!

Una vez que el comandante rompió el encanto, las cosas retomaron su dinámica previa. El forense, que sin embargo nunca se distrajo de sus actividades, parecía que había terminado su tarea, por el momento. Se levantó y acercó a ellos.

—¿Y esta criatura —dijo el hombre— es la que usted escogió para sustituir al jefe Goya, comandante?

Castillo se mostró confundida y, por un instante, observó a Sotomayor.

—Esta criatura —respondió él—, como usted dice, Márquez, fue la que resolvió el caso de la niña Castro. Y entonces era patrullera. Ahora, ¿por qué no me dice algo útil?

—Bien —dijo Márquez, como retractándose—, todo parece indicar que la estrangularon. Pero es obvio que los detalles todavía no se los puedo dar con certeza. Para ello debo llevarme el cuerpo y practicar la autopsia. Sus pertenencias parecen intactas. Es decir, no se llevaron su cartera ni sus tarjetas. No hay dinero en la cartera, eso sí.

El doctor Márquez observa a la inspectora, que mira el cadáver.

—¿Desea echarle un vistazo antes de levantarlo, inspectora?

Castillo asiente y comienza a moverse dentro del camerino. El comandante y el doctor salen. El galeno le pide a su ayudante y a otro oficial que salgan también. La inspectora se coloca unos guantes de látex y se agacha para observar de cerca el cuerpo. El cuello está claramente lastimado. Solo lleva puesta las bragas y una camisa vieja, algo grande, para cubrir su cuerpo. Parece tener raspones en los brazos. Hay artículos de maquillaje que han caído del tocador. El espejo tiene bombillas a su alrededor. Clásico. Todas ellas prendidas. Solo el espejo está quebrado. Al lado, el colgador con ropa, pero hay varias prendas en el suelo y, cerca, zapatos regados y desordenados, tacones en su mayoría. Un tacón solitario se encuentra lejos del colgador, del otro lado del cadáver, cerca de sus pies. Hay una mesita próxima a la puerta, a cuyos pies se encuentran los trozos de cerámica y las flores. Son camelias. Rojas. La inspectora vuelve a mirar el rostro de la occisa. Y, con su mano, le cierra los ojos.

Al salir ella, vuelve a entrar el forense, ahora con ayuda para llevarse el cuerpo. La inspectora advierte que Sotomayor la espera, como para decirle algo.

—Y bien, ¿qué opina, Castillo?

—Lo que me parece más obvio es que a quien quiera que la haya asesinado no le resultó tan fácil.

—Un pequeño desastre ese camerino, ¿no?

—Además, la mujer estaba en forma. Claro, no era musculosa. Quiero decir que, al menos, tenía mucha resistencia física. Y la chica que descubrió el cuerpo... ¿Otra actriz?

—Catrina González o Nina como la conocen todos en el ambiente artístico. Como le indiqué, fue quien descubrió el cuerpo. Estaba histérica cuando llegamos. Destrozada. Al parecer era muy cercana a Paula. Mejores amigas o algún rollo por el estilo. Ha empezado a darse a conocer en el mundo del teatro.

Ambos salieron del laberinto tras bastidores y caminaban nuevamente por el pasillo central del teatro. La maleta y el morral de Aneth permanecían donde los había dejado.

—¿Y el hombre con el que hablaban en este lugar —dijo ella—, con pinta de gringo, tiene algo que ver con el teatro?

—Se llama Nathan Smith, es el director de la obra que se estrenaba mañana, en la que Nina y Paula tenían roles. Paula también se encontraba rodando una película, una adaptación contemporánea de *Lo que el viento se llevó*. Por otro lado, tanto Smith como Nina han puesto sus contactos a la orden.

—¿O sea que ya se han ido?

—El gringo se fue poco después de que los dejamos. Y Nina fue despachada hace solo momentos. Ya es bastante tarde, no sé si se ha dado cuenta. Creo que todos queremos descansar. Sobre todo usted, Castillo, que todavía no ha terminado de llegar.

—¿Qué hay de la familia de la víctima?

—Era huérfana. Fue adoptada cuando ya era una niña grande, por unos ancianos con considerable poder económico. Murieron cuando todavía era adolescente.

Ahora salen del edificio. La lluvia permanece intacta, invariable, como si fuera una dimensión agregada a la realidad de la ciudad.

—Una cosa más, comandante.

—¿Qué?

—No pude evitar notar la ausencia del inspector Goya. Tampoco olvido las palabras del forense. Tenía entendido que sería compañera del legendario Guillermo Goya.

El comandante escuchaba y asentía mientras anotaba algo en una libreta.

—Castillo, el año sabático del jefe Goya terminaba la semana pasada, en teoría. Si quiere su ayuda, va a tener que sacarlo de su cueva.

El comandante extendió el papel hacia Aneth, quien lo observó con atención. Era una dirección. Abajo ponía «Jefe Goya».

—Debo serle sincero —agregó el comandante—. Solicité su transferencia porque, por todo lo que he escuchado, usted tiene madera de inspectora. Promete. Y le tengo más fe a usted que a Goya. No es por nada. No me malinterprete. Respeto muchísimo a ese hombre. Pero después de lo que le ocurrió a su compañero no ha sido el mismo. Y la verdad es que dudo que vuelva. Nosotros lo mantenemos en nómina y cada mes le enviamos un cheque, por solicitud expresa del alcalde, quien piensa que es lo mínimo que podemos hacer después de tantos años de servicio a la ciudad y a la comunidad. De cualquier forma, ya es un hombre entrado en años y hace falta sangre nueva.

—Pero podría aprender mucho del mejor. Yo apenas empiezo —comentó Aneth.

—Como le dije, Castillo, depende de si logra incorporarlo o no. Ahí le dejo la dirección. Trate de entrevistarse con él mañana temprano, antes de que empiece formalmente con la investigación. No le puedo asegurar que la vaya a recibir. Tampoco sé cuál será el estado en el que se encuentre, si lo llega a ver. Yo mismo empecé a visitarlo días antes de la fecha en que, se supone, iba a reincorporarse. Y ya ve que no pude hacer mucho.

—Entiendo.

—Y ahora dígame dónde se queda. Yo la llevo. ¿Llamó a la pensión que le recomendé?

—Sí, señor.

—Bien, vamos.

Ambos se subieron en el auto del comandante. Momentos después, el auto dejaba las instalaciones del teatro y se adentraba de nuevo en la ciudad, que no dormía, pero que seguía bajo el hipnotismo de la lluvia y su sonido.

Había poco tráfico en las calles. Las manifestaciones habían terminado. El comandante dejó a la inspectora en la pensión, a donde ingresó con su bolso y la maleta. Una señora mayor la recibió. Aparentemente, era la suegra de Sotomayor.

De seguro por la hora, la señora se limitó a enseñarle dónde quedaba la cocina y luego dónde quedaba su habitación. Esta no era ni muy grande ni muy pequeña, perfecta para lo que buscaba por el momento, y tenía su propio baño. No tardó mucho en ocupar el armario y los cajones con sus cosas. Luego se duchó, se puso ropa para dormir y, antes de ir a la cama, sacó su portátil.

Decidió hacer una búsqueda relacionada con Paula Rosales, para empaparse un poco de la información que hubiera acerca de ella en los últimos días. Encontró algo sobre un orfanato, el cual había ayudado a financiar. También había tenido roces, con insultos y golpes de por medio, con fotógrafos indiscretos que, según parecía, la acosaban sin cesar. Una nota de hace varios días informaba sobre el estreno próximo de una obra en la que iba a aparecer, en torno a la cual había grandes expectativas y que, se decía, sería la actuación que la inmortalizaría como actriz. Otra nota más reciente mencionaba la cancelación de un matrimonio; otra, su comportamiento errático a medida que se acercaba el estreno de la obra, que se llamaba *La máscara transparente*, citando a «fuentes cercanas» que declaraban lo difícil que resultaba trabajar con ella.

Luego, Aneth colocó un video de una entrevista, aparentemente la última que se le hizo a la actriz. La belleza de Paula era en verdad impactante y había algo en su forma de hablar que hipnotizaba.

—Creo que... —respondía Rosales— hay dos grandes conflictos, o problemas, que pueden atormentar a un actor o actriz. Uno, el que a mi parecer es menor, es que el actor se confunda con un papel. Es decir, que se vuelva incapaz de discernir entre su propia identidad y la del personaje. Es un problema terrible, claro. Pero me parece menos terrible que el otro, una versión más aterradora del anterior, y es el de poder recrear personajes muy diversos, completamente distintos

20

unos de otros, y sufrir esa misma disociación con respecto a tu propia identidad.

—¿Por qué este le parece más terrible? —preguntaba el entrevistador.

—Porque entonces —responde Paula— no hay nada que le diga al actor, o actriz, que su identidad, su yo, es otro personaje más. ¿Qué tal si, de tanto usar máscaras, se vuelve incapaz de reconocer su propio rostro?

—Pareciera que este mismo problema la atormenta a usted, Paula.

—Bueno... —replica ella, riéndose.

Aneth no puede seguir viendo la entrevista. Sus ojos se cierran. El sueño la ha vencido.

5

GOYA SE DESPERTÓ de un golpe, sudando, muy agitado y con una terrible resaca. Imágenes fugaces y vagas cruzan por su mente, como una fiebre o un delirio. No recordaba cuánto tiempo había dormido ni qué hizo mientras estuvo despierto. No mucho, de seguro. Probablemente, los muchachos de la estación tuvieron que sacarlo cargado del bar, otra vez, y tirarlo en el colchón. De cuántos problemas no lo han sacado ya. Lo último que cree recordar es estar en el bar, contando glorias pasadas a unas chicas mucho más jóvenes que él. Ahora le parece que eran de la misma edad de su hija y siente asco de sí mismo. Luego todo se vuelve borroso y culmina con la pesadilla de la que acaba de despertar, siendo testigo del asesinato de su compañero, muerto de un disparo en medio de la calle, en una noche fría y lluviosa tiempo atrás. La pesadilla es tal porque repite lo sucedido sin que pueda hacer nada para evitarlo. Sin embargo, todo es confuso. Hasta la vigilia.

Con dificultad, logra levantarse del colchón. Todo se mueve como en un bote en altamar. Un escalofrío lo recorre y vuelve a comenzar a sudar. Trata de observar la habitación.

Hay libros empolvados en una esquina. Un tocadiscos viejo, acompañado de un altavoz igual de viejo, sirve de apoyo a una modesta colección de vinilos aún más viejos. El armario está abierto y desordenado. Se mira la ropa, ¿desde hace cuánto no se cambia? Entonces siente unas fuertes arcadas y con torpeza se mueve unos pasos hasta el baño, donde cae de rodillas como un trasto viejo, frente al retrete, y vomita. Suda frío, profusamente, tose. Cuando logra calmarse un poco, se va gateando de vuelta al colchón y busca su saco. Lo ve del otro lado. Dice una palabra que suena como «mierda» o «piedra». Y se estira por encima del colchón para alcanzarlo. Cuando lo toma, revisa los bolsillos. En uno encuentra lo que buscaba, un frasco de jarabe para la tos con codeína. Queda poco. Lo abre, empina el frasco sobre sus labios y cierra los ojos, girando el cuerpo hasta quedar bocarriba para sorber todo el contenido. Cuando deja de sentir el jarabe, pasa la lengua por el pico y trata de meterla dentro lo más que puede con el mismo propósito. Degusta el sabor, estrechando la lengua contra el paladar. Deja caer el brazo que sostenía la botella y esta cae rodando junto con dos frascos más, también vacíos. Cuando termina de degustar el jarabe, suelta un suspiro y algo parecido a un gemido, que, a su edad y en su estado, se asemeja más al sonido que hace un perro viejo cuando se acomoda mientras duerme. Sus ojos permanecen cerrados. Piensa en su esposa. Se pregunta cómo estarán ella y su hija. Trata de buscar un recuerdo agradable de su vida juntos, pero solo logra ver su rostro molesto mientras le grita que despierte.

Alguien golpea a su puerta con firmeza. Tiene babas secas a un costado de la boca. ¿Cuánto tiempo estuvo dormido? ¿Otra vez? Vuelven a tocar. Se mueve y trata de sentarse. No tiene idea de la hora, pero definitivamente es de día. Parece que todo se mueve en cámara lenta. Le duele el cuello, estaba en una postura muy incómoda. Tocan de nuevo. Trata de decir algo, pero la voz no le sale. Carraspea muy fuerte. Vuelven a tocar.

—¿Qué quiere, carajo? —alcanza a gritar con rabia.

Una voz apenas llega a sus oídos. Parece de una mujer, pero no escucha bien. Vuelven a tocar. Gruñe e intenta pararse de nuevo. Lo logra, tumbando algunas cosas de un armario de gavetas. Entonces consigue moverse hasta el umbral de la puerta de su habitación. Da un vistazo a la sala-cocina-comedor. Hay cosas por lavar, pero no muchas. Una cafetera en una de las hornillas. Una pequeña biblioteca. Todo parece en orden allí. Luego observa la pequeña mesa de comedor. Parece haber una nota. Se mueve hasta la mesa. Vuelven a tocar.

—¿Pero qué coño quiere? —grita.

—¿Inspector Guillermo Goya? —dice la voz de una mujer desde el otro lado.

—¡Aquí no vive ningún inspector! —grita.

Llega a la mesa, pero se golpea un dedo del pie con la pata de una silla.

—¡La puta! —exclama con ira.

—Señor, ¿está bien? —pregunta la mujer.

Gruñe y mira la nota. Está escrita en una factura vieja. Dice:

«Jefecito, nunca despertó y me cansé de esperarlo. Le dejé café hecho. Llámeme, no sea malo. Dejé mi número guardado en su celular. XXXX. Vicky».

Vuelven a tocar la puerta.

—¡Que aquí no hay ningún Goya! —grita otra vez.

—Jefe Goya —dice la mujer—, sé que es usted, el conserje y su vecina de enfrente me dijeron que está en casa, que no sale desde hace tres días.

«Carajo, ¿llevo dormido tres días?», piensa. Entonces vuelve a mirar la nota.

—Escucha, princesa —le responde, cambiando el tono, mientras se dirige a la cafetera—, no te recuerdo. Seguramente la pasamos muy bien. Pero no me interesa que nos sigamos viendo, ¿sí? Mejor vuelve de donde sea que hayas salido.

—No sé de quién habla, señor —dice la mujer—. Soy la inspectora Aneth Castillo. Acabo de ser asignada a la capital y me gustaría intercambiar observaciones con usted.

Destapa la cafetera y huele el contenido. Le viene otra arcada y tose fuerte. Luego desecha el contenido de la cafetera en el fregadero.

—Jefe Goya, ¿se encuentra bien? —pregunta de nuevo la inspectora Castillo.

—Lo siento, inspectora, estoy de sabático. Mi reincorporación es en dos semanas.

—Disculpe que lo contradiga, señor, pero la fecha de su reincorporación pasó hace una semana, cuando menos.

El jefe Goya maldice para sus adentros. No sabe el día ni la fecha. Pero si ya se pasó, debe ser finales de octubre.

—¿Inspector? —vuelve a preguntar Castillo.

—Un momento, un momento —dice él con fastidio.

Se acerca hasta la puerta, suspira y la abre, sin quitar el seguro. Pensaba decirle a la mujer que se retirara, que no perdiera su tiempo. Su voz le indicaba que aún era bastante joven. Sin embargo, se encontró que era más alta de lo que esperaba y con un singular atractivo.

—No sé qué quiere que le diga, inspectora —dijo después de examinarla por un instante.

—Solo quiero hablarle de un caso reciente —replicó ella.

Todavía la observó por otro instante, recriminándose un poco por no ser capaz de mandarla al carajo. Cierra la puerta, quita el seguro y se encamina hacia el baño. Se detiene un momento antes de entrar en su habitación.

—¡Está abierto! —le dice—. Tome asiento y espéreme un momento.

Goya entra y cierra la puerta. Se dirige de nuevo al baño y busca el botiquín de medicinas. Tras encontrarlo, lo abre y busca con atención entre cajas, recipientes de plástico y sobres de pastillas. Su rostro se ilumina como si se hubiera ganado la lotería. Todavía le queda algo de morfina y naloxona. Sale del baño y saca una Colt de cañón corto de una gaveta de su mesa de noche. Hace tiempo se quedó sin balas, no recuerda cómo, seguro en tontas apuestas. Vuelve al baño, saca una pastilla de morfina y la golpea suavemente con el culo del mango. Guarda los trozos más pequeños de vuelta en el recipiente y deja el más grande afuera. Luego se lo lleva a la boca y abre el caño del lavamanos. Se agacha y se ayuda con la mano para beber. Después se moja el rostro y el cabello. Al fin se siente fresco. Sale del baño otra vez, se pone el saco, busca sus pantuflas y por último sale a la sala-comedor-cocina. Allí encuentra a la mujer, de pie, mirando la pequeña biblioteca.

—¿Le gusta leer? —pregunta el jefe Goya.

—No leo literatura, señor, si a eso se refiere —responde Castillo—. Pero veo que tiene aquí buenos amigos: Dupin, Parodi, Holmes, Spade, Marlowe...

—No lee literatura, pero sabe quiénes son esos personajes.

—Por mi padre. Eran las únicas historias que le gustaba leer. Por lo demás, odiaba a los artistas y el arte en general. Menos la música.

—¿Odiaba el arte? —preguntó él mientras tomaba asiento, cada vez más intrigado por esta chica que había salido de la nada.

—Sobre todo a los poetas y la poesía.

—Suena a que hay una mujer de por medio.

Castillo volteó con una sonrisa genuina pero comedida.

—Definitivamente es usted el jefe Goya —dijo ella—, la leyenda. Sí, esa mujer vendría a ser mi madre.

—Clásico. ¿Creció con su madre entonces?

—No —respondió ella, que volteaba a ver unas fotografías en la biblioteca—. De hecho, nos abandonó después de tenerme. Nunca la conocí. Era poeta, decía mi padre.

—Vaya. Creo que he perdido algo de mi magia —dijo mientras sacaba un cigarrillo—. Pensaba que su madre lo había abandonado por un poeta. Pero si era ella misma, no lo culpo.

—¿Esta es su familia? —preguntó Aneth, señalando una de las fotografías.

—Bueno, ¿vino a una terapia familiar o tiene un caso que discutir? —dijo y encendió el cigarrillo.

—Sí, señor. Paula Rosales, todo indica que ha sido asesinada.

—¿La actriz? —preguntó él con notable sorpresa.

—La misma.

—Caramba, qué lástima. Era divina esa mujer —dijo Goya mientras recordaba una escena controvertida de la última película de Rosales, en la que ella derramaba vino sobre su propio cuerpo, casi completamente desnudo.

—Su cuerpo —continuó Castillo— fue encontrado ayer en la noche. Todo indica que fue estrangulada.

—Un momento, ¿o sea que esto acaba de ocurrir?

—Sí, señor.

—¿Qué hay de sospechosos, declaraciones, coartadas?

—Aún no he comenzado formalmente la investigación, pero...

—¿Y entonces a qué ha venido?

—Señor, es mi primera investigación como inspectora de la fuerza. El comandante me dijo que sería su compañera, pero entiendo las circunstancias y solo quería hablarle un poco de la escena del crimen y cómo fue encontrado el cuerpo.

Goya calló, maldiciendo en silencio al comandante Sotomayor. ¿Qué se creía? Ni siquiera tiene la misma cantidad de años que él en la fuerza. ¿Y ahora lo quiere poner de niñero?

—Lo siento, señorita, está perdiendo su tiempo. Cuando tenga más información le podré ayudar. Pero por ahora está mejor sola.

—Jefe Goya...

—Lo siento, tengo cosas que hacer —dijo, pero era obvio que mentía, no tenía nada que hacer.

Se levantó y se dirigió a la puerta. La abrió y, con un movimiento de su brazo, la invitó cordialmente a salir de su casa. La inspectora se levantó, frustrada. Parecía querer decir muchas cosas. Cosas malas. Pero se contenía.

—¿Al menos tiene alguna recomendación —preguntó ella antes de salir—, con toda la experiencia que tiene?

—Piense que todos son culpables y descubra un móvil —contestó él.

—¡Bah...! —replicó Castillo.

Goya no dijo nada y se limitó a cerrar la puerta. Del otro lado alcanzó a oír «maldito viejo borracho». Después volvió a la mesa y se sentó cerca de la biblioteca. Observó una vieja fotografía en la que aparecían él y Pérez, su difunto compañero, recibiendo un reconocimiento del entonces alcalde de la ciudad. Luego observó la de al lado y la tomó. Ahí estaban su esposa y su hija, esta última todavía pequeña. Pasó los dedos con suavidad sobre la superficie de vidrio. Volvía a sentir el mismo dolor de desgarro de aquella vez que fue obligado a abandonar su propia casa. Dejó la fotografía y tomó otra, esta era de su hija sola, recién graduada de la secundaria. Una adolescente hermosa y alegre. Ahora que lo piensa, debe tener la misma edad de la inspectora. Cerca hay un teléfono viejo con contestadora. Presiona el botón de *play* para reproducir los mensajes. Una voz pregrabada le indica que tiene un solo mensaje, de hace cinco años. Luego suena un tono y oye la voz de su hija.

Papá, por favor, prométeme que no te voy a encontrar borracho mañana. Si no logras mantenerte limpio esta vez, con todo el dolor de mi alma, voy a tener que alejarme de ti porque no soporto ver cómo te destruyes de esta forma. No puedo... No puedo pasar por esto una vez más. Mamá dice que pierdo mi tiempo contigo, pero yo sé que no. Yo sé que esta vez sí lo vas a lograr... ¿Verdad que sí?... Mañana iremos juntos otra vez a buscar ayuda... Te amo.

El mensaje termina. La voz pregrabada pregunta si desea guardar el mensaje o borrarlo. Goya mira por la ventana, luego se observa las manos. Piensa en su hija y en su esposa. Luego piensa en la inspectora Castillo. La voz pregrabada repite la pregunta. Guardar.

Como siempre.

6

ANETH SALE FRUSTRADA de su encuentro con el jefe Goya y decide tomarse un café para pensar en cuál será su próximo movimiento. Después de pensárselo un rato le parece que lo más obvio es visitar el apartamento de la víctima. Antes de intentar convencer al exinspector, había ido a la comisaría para echar un primer vistazo a la evidencia. En la declaración de Catrina González leyó que la víctima tenía pareja pero vivía sola, y entre sus cosas estaban las llaves de su apartamento. Antes de dejar la comisaría, pidió al criminalista Hilario Cota que revisaran las pertenencias de la víctima, buscando contactos o cualquier dato sobre su itinerario. Ahora se le ocurre que después de mirar el apartamento de Rosales volverá al Teatro Imperial. Entonces, la inspectora termina el café pequeño y cargado que había pedido y se dirige a donde vivía la actriz.

Era un apartamento muy sofisticado, con muebles de madera que parecían traídos del extranjero. En el pasillo de entrada colgaban varias fotos en las que salía Rosales con distintos elencos o grupos teatrales a lo largo de su carrera.

Unas parecían recientes. En las más viejas se veía una Rosales que todavía no cumplía los veinte. Al entrar, Aneth advirtió que el apartamento tenía dos plantas. En la primera estaba la sala comedor (no muy grande pero espaciosa), un baño, la cocina, la lavandería y un cuarto estudio. El cuarto estudio tenía una biblioteca y un escritorio. La biblioteca tiene una variedad de libros que a la inspectora le producen algo parecido al vértigo: novelas, obras teatrales, libros de poesía y ensayo, todos estos eran de esperarse; pero también encuentra libros sobre psiquiatría, psicología, patología, antropología, una gran cantidad de diccionarios de temas muy diversos y algunos libros sobre arte. También había un armario. Aneth investigó lo que había en él y encontró diversos documentos: copias de contratos, facturas, informes médicos. No estaban muy bien ordenados.

En la planta de arriba estaba la habitación de Rosales, otro baño, un cuarto con aparatos para hacer ejercicios y la entrada a una terraza. Esta última ofrecía una vista espectacular de la ciudad. Aneth pensó en los años que tendría que trabajar para poder pagar un apartamento así. Ni siquiera se molestó en sacar la cuenta exacta.

La habitación de Rosales tenía pocas cosas. Una cama muy grande, un espejo en el techo, una mesa de noche y un armario de ropa que parecía otra habitación con otro baño más al fondo. Sobre la cama observó un bolso tejido que le pareció hermoso, con una mezcla extraña entre rudeza y delicadeza. El tramado de los hilos era complejo y atractivo. Se preguntó dónde lo habría comprado. Quizá en otro país. Luego revisó la mesa de noche. En sus gavetas, Aneth consiguió una extraña mezcla de libros y folletos. Entre los libros solo reconoció el de *Alicia en el país de las maravillas*. Lo hojeó y entre sus páginas halló una foto vieja, algo gastada, en la que aparecía una niña de unos siete u ocho años, abrazada por un niño que se ve algo mayor, acaso un par de años mayor. En la parte de atrás dice «Paula y Ángel». La inspectora advierte que es la única foto que ha visto en la casa donde Rosales todavía es una niña. Entre los folletos, hay unos que son de obras en las que Rosales ha participado anteriormente, también hay folletos de restaurantes, otros son de lugares turísticos, hay algunos de medicinas y el más raro y viejo de todos es sobre tratamiento de hormonas. Hay mucho que revisar. Aneth llama a la comisaría y vuelve a hablar con Cota para que organice el material encontrado. Una vez hecho esto, la inspectora Castillo se dirige de nuevo al Teatro Imperial.

La lluvia se ha reducido a llovizna, pero continúa siendo constante, incesante. Aneth decide salir del mero centro de la ciudad caminando. Al menos de la parte congestionada. La ciudad parece haber retomado su cauce normal. Aunque es solo una impresión; no sabe realmente cuál es el ritmo normal de una urbe como Sancaré, donde barrios nuevos aparecen y otros desaparecen como si nada; donde ocurre hasta lo impensable, donde la periferia es imprecisa y la mirada se pierde en el horizonte. Al menos, las manifestaciones de anoche han cesado y la presencia policial ha disminuido, en lo que al Centro se refiere.

Después de caminar unas cuadras, donde el tráfico es más fluido, decide tomar un taxi hasta el teatro. En algún momento del trayecto, por la radio anuncian la muerte de la famosa Paula Rosales, pero el manejo mediático que hacen del hecho es cuidadoso. Informan que la causa de muerte es suicidio. El funeral será en la tarde del día siguiente. Si tal era el caso, la autopsia y el informe deberían estar casi listos. Posteriormente, al llegar al teatro, desde afuera parece como si nada hubiera ocurrido la noche anterior. Al entrar ve personas limpiando en la antesala. Adentro ve personas en la tarima, algunos sentados con papeles en las manos, leyendo; otros en pareja, de pie, parecen ensayar. Otros solo conversan o escuchan. Por ningún lado ve al gringo. Nathan Smith. ¿Dónde se habrá metido? Tampoco ve a Catrina González. Decide acercarse y preguntar.

Como lo imaginó, se trata de actores y actrices relacionados con el director. El grupo teatral se llama Prosopos. Fue creado por Smith hace cinco años y lo ha dirigido desde entonces. Primero inquiere sobre el paradero del director y la actriz Catrina. Se entera de que el primero, a tempranas horas de la mañana, ha enviado un comunicado a todo el equipo que trabaja en la obra, tanto actores como técnicos, informando sobre lo sucedido y dando dos días de descanso en señal de luto. El estreno de *La máscara transparente* se pospone para la siguiente semana. Al parecer, Paula Rosales (o «la Diva», como se referían a ella los compañeros) había sido la adquisición más importante de Smith y se había unido hacía tres años, aproximadamente. Por aquel entonces realizaban adaptaciones de obras clásicas que tuvieron tremenda recepción. *La máscara transparente* sería la primera obra inédita que montaría el grupo. Resultaba claro para Aneth que muchos no se creían que Rosales hubiera cometido suicidio. Cuando tocaban el tema, sus voces asumían un tono ligero (pero evidente) de sarcasmo. Muy parecido al tono con que le decían «Diva», solo que este último le pareció a la inspectora una mezcla de burla y envidia. Cuando preguntó acerca de si asistirían al funeral, pocos contestaron de manera afirmativa. La Diva, al parecer, tenía pocos amigos.

También le dijeron que su vida personal parecía ser un poco desastrosa e intensa y que no les extrañaría que, fuera del grupo teatral (al cual, a fin de cuentas, había dedicado poco tiempo de los siete años de carrera que alcanzó a acumular), se hubiera ganado varias enemistades y que, de seguro, no faltarían los fanáticos desquiciados que le seguían el rastro, los acosadores, los que se obsesionan con las celebridades porque no tienen vida propia. Después de todo, acaso en Prosopos estuvieran las pocas personas que realmente se preocupaban por ella, como Nina y el director. En efecto, aquellas pocas personas que le dijeron a Aneth que irían al funeral se mostraron genuinamente dolidas y consternadas.

De Nina dijeron que Rosales era su mejor amiga. Aquellos que lograron hablar con ella, más temprano, decían lo mismo: que sonaba completamente devastada por la pérdida. No obstante, con respecto al director, observaron que en los últimos días había tenido fuertes e intensas discusiones con Rosales, en privado, quien al parecer estaba en algún tipo de crisis. Quienes lograron escuchar algo hablaban de gritos y amenazas.

Con toda esta información, la inspectora Castillo solo podía tener la paradójica seguridad de que, en el fondo, había pocas certezas con respecto a la Diva Rosales. En última instancia, todo era impregnado por la confusión del rumor. De lo que se dijo y lo que se escuchó sobre ella. La imagen provisional que se hacía de ella la inspectora Castillo era la de una persona muy talentosa pero arrogante y prepotente, algo volátil e impredecible. Toda una diva, a fin de cuentas.

Cuando salió del edificio, Aneth decidió hacer una visita al director Nathan Smith y obtener más información sobre esas discusiones con gritos y amenazas de las que hablaban los otros miembros del elenco. De paso, quizá podría obtener datos más concretos sobre la Diva.

7

Cuando entró al apartamento, la voz gruesa y carrasposa de un hombre, con inocultable acento inglés estadounidense, la invitó a pasar y a tomar asiento, mientras él se terminaba de arreglar para salir pronto. También la invitó a prepararse algo del bar, si así lo deseaba. Ella agradeció el ofrecimiento y se limitó a tomar la silla que vio más cercana, para sentarse, un poco intimidada por la apariencia sofisticada del lugar donde se encontraba.

El director vivía en una de las zonas más cotizadas de la ciudad, en el ático de un quinto piso. Aneth solo había visto apartamentos así en la televisión o en revistas. Su decoración era ecléctica pero liviana a la vista. Quien quiera que hubiera estado a su cargo hacía evidente sus muchos viajes y un criterio muy cultivado y particular. Acaso fuese el mismo director. Tendría sentido. Una mezcla entre clase y bohemia. Cada objeto parecía dotado de una singularidad perfecta, sea por su procedencia o por el material del que estaba hecho. También por su forma. Grandes cuadros abstractos, pero de figura y colorido armónicos, colgaban de las paredes. Alfombras grandes cubrían ciertos espacios, como estratégicamente; y otras, más pequeñas, parecían dispuestas al azar. Aneth no podía decir si el toque de descuido y desorden general del ático era genuino o, por el contrario, absolutamente intencionado, fruto de una planificación minuciosa, como si el orden buscara imitar algo que ve atractivo en el caos. Aneth no puede evitar recordar a Pedro, su padre. De todos los artistas, a quienes más odiaba, después de los poetas, era a los actores y actrices. Los «teatreros», como él los llamaba. Aparentemente, su madre también era actriz. La verdad, ahora que lo piensa bien y vuelve a ver el lugar, algo así se esperaba la inspectora de un director de teatro. Y, sin embargo, la realidad supera sus expectativas.

—Inspectora Castillo —dijo Smith, cuando salió, saludando para presentarse—, es un placer conocerla.

—Señor Smith —replicó ella, estrechando su mano.

—Inspectora debo confesarle que me sorprendió mucho escuchar su voz por teléfono. Digo, que la persona encargada de la investigación fuese una mujer. Ahora me sorprendo más al verla, si me permite decirlo.

Nathan Smith era apenas más alto que ella. Debía de tener entre cuarenta y cincuenta años. Le pareció que, a pesar de la torpe pronunciación, tenía un buen manejo del vocabulario en español.

—Estoy acostumbrada, señor Smith —dijo ella a secas—. Créame que soy la primera en saber que es poco común ver a una mujer inspectora. A veces obtengo reacciones bastante normales, sin embargo.

—¿Normales? —dijo extrañado—. ¿De quién?

—De la gente común y sencilla.

—¡Oh!, entiendo —exclamó el director, con cautela, mientras se dirigía al bar.

—Veo que está bien acomodado. ¿Qué tiempo lleva en el país?

—En total, unos ocho años.

—¿Qué lo hizo dejar los Estados Unidos?

—Por una parte, me gusta mucho viajar.

—¿Y por qué se quedó aquí?

—En mi tierra, la realidad parece una cosa decretada. Algo fijo que no cambia. Pero aquí, como en otros países, las cosas se mezclan, hay espacio para la sorpresa y la improvisación. Y eso, en mi línea de trabajo, además, en mi visión del mundo, es esencial. Además, no está tan lejos de mi hogar. ¿Desea tomar algo?

—Le agradezco, pero no vine a eso.

—Bueno, dígame, ¿en qué puedo ayudarla? —le preguntó a la vez que se preparaba un *whisky*.

—Como se imaginará, me interesa saber todo lo que pueda decirme de Paula Rosales. Cómo y cuándo la conoció, cómo fue su trato en los últimos días, cómo era su estado. En fin, todo lo que sepa.

—*Okay* —dijo, mientras se sentaba cerca de ella, con el trago en la mano—. Vi a Paula en persona, por primera vez, hace un poco más de tres años. De pronto cuatro. Fue en el Festival de Cannes. Habían terminado de proyectar *Hombre malo, mujer buena*, que por entonces era su última película como protagonista, muy aclamada por la crítica. Yo había quedado absolutamente deslumbrado con su actuación. ¿Ha visto la película?

—En realidad no soy de ir mucho al cine, señor Smith —respondió ella de manera lacónica.

—Qué lástima... —dijo él con afectación—. Es sobre una mujer que debe defender los bienes de su familia, pero es muy débil de carácter. Sus padres son muy ancianos y no pueden ayudarla. Así que decide reinventarse y hacerse pasar por hombre, pero un hombre intransigente y déspota, fingiendo ser un primo lejano. El trabajo de Rosales fue... maravilloso. Así que me acerqué a ella después de la proyección para felicitarla y hablarle del grupo teatral que acababa de ensamblar. Yo sabía que ella había empezado muy joven en el teatro y había escuchado que estaba considerando volver. Yo, claro, también he ganado algunos reconocimientos y tengo una larga trayectoria. Ella había escuchado de mi trabajo, por supuesto, pero en ese momento se le hacía imposible unirse al grupo. Entonces me pareció una mujer muy centrada, modesta, pero increíblemente encantadora. Esta última impresión permaneció constante durante todo el tiempo que la conocí. Cuando ella quería, y sin aparente esfuerzo, era capaz de hacerte sentir... No sé cómo ponerlo en palabras. Te hacía sentir especial. Era muy desconcertante, sobre todo después de conocer su otra cara.

—¿Como el personaje de la película, déspota e intransigente?

—Qué observación tan... ¿Cómo se dice?... ¿Perspicaz? Exacto, inspectora, una persona sumamente difícil, para quien nunca nada era suficiente, soberbia, que creía nunca cometer errores... Al comienzo, esta actitud era muy esporádica. Pero en los últimos días era bastante extraño ver su lado encantador. En fin, después de conocerla seguimos en contacto. Yo quería insistir en que se uniera al grupo de teatro. Aunque pocas veces hablé de manera específica con ella, al final logré convencerla.

—¿Por qué el interés en que formara parte del grupo?

—De verdad debería ver alguna de sus actuaciones. Es simplemente impactante. Era justo el perfil de actriz que buscaba para las adaptaciones que estaba realizando. Además, era la estrella del momento. Hollywood se empezaba a interesar por ella.

—¿O sea que vendía muchas entradas con ella en el reparto?

—No me malentienda, inspectora. No quise decir eso. Si hubiera seguido viva, estoy completamente seguro de que hubiera sido una de las actrices más importantes de la historia. Las personas como yo sabemos eso. Y no era el único que lo decía.

—Pero todavía no responde a mi pregunta, señor director. ¿Cómo le iba con las obras en las que ella aparecía?

—Pues, ¿cómo cree? Se vendían todas las entradas. El teatro se llenaba por completo.

En este punto, Smith bebió de un solo trago lo que le quedaba en el vaso. Respiró profundo y se dirigió otra vez al bar.

—Director, usted ha dicho —retomó Castillo— que, en los últimos días, el trato con ella se volvió muy difícil. ¿Llegaron a tener altercados?

—Sí, sobre todo hacia el final.

—¿Eran fuertes?

—No realmente. Normales para el ámbito de trabajo.

—Hay testigos que aseguran haber escuchado gritos y amenazas.

—Señorita Castillo...

—Inspectora.

—Disculpe, inspectora Castillo, si usted supiera algo del mundo del teatro, o del mundo de la actuación en general, sabría que entre actores y directores nos gritamos y amenazamos todo el tiempo. Si hay una persona más narcisista que un actor, es un director. Sí, tal vez llegamos a alzar la voz mientras discutíamos Paula y yo, y quizá se nos haya escapado algún insulto.

—¿Usted la llegó a amenazar?

—No, para nada.

—¿Y qué hay de ella? ¿Lo amenazó de alguna forma?

—Pues sí, de alguna forma, sí. Decía que iba a abandonar la obra. La que hubiéramos estrenado hoy si no hubiera ocurrido nada.

—¿Y por qué razón?

—De un día para otro, se le metió la idea en la cabeza de realizar cambios en la trama. Prácticamente ya la obra estaba lista para ser presentada y yo mismo la había escrito. Sin embargo, en el proceso de montaje le permití realizar modificaciones a ciertos detalles de su personaje y de lo que le pasaba. Varias veces consentí sus caprichos y por lo general tenía muy buenas ideas, pero se acercaba la fecha del estreno y no iba a permitir que hiciera cambios a última hora. Esta vez había muchas cosas en juego. Permanecí firme en mi posición y ella se fue muy molesta.

—¿Y esto ocurrió anoche?

—No. La noche anterior —dijo el director, quien revisaba su celular, que acababa de sonar.

—¿Qué hacía usted ayer por la noche cuando se encontró el cuerpo?

—¡Me encontraba en el teatro! ¡Es terrible saber que estaba en el mismo lugar que ella cuando murió y que pude haber hecho algo para evitarlo! *Jesus...* Me rompe el corazón cada vez que lo pienso.

—¿Y qué estaba haciendo?

—Los días anteriores a un estreno suelo quedarme hasta muy tarde en el teatro, repasando notas, mirando el escenario, asegurándome de que todo quede a la perfección. Por un momento estuve hablando con otro actor, simplemente discutiendo de la obra y las ideas que Paula quería implantar. Luego recuerdo que Nina pasó a saludar. Dijo que había olvidado algo y se retiró. Luego Iván también se fue y yo continué revisando el texto y mis notas. Puedo ser muy obsesivo con lo que me apasiona y los estrenos me generan mucha ansiedad. Revisar el texto y mis notas me calma un poco.

—¿Dónde se encontraba?

—Estaba en las butacas frente al escenario, quizá en la quinta o sexta fila, no recuerdo bien. Oiga, ahora recuerdo haberla visto a usted entrar a la sala más tarde, cuando llegó la policía y yo les daba mi testimonio.

—¿Alguna otra persona con la que pueda hablar? ¿Familia? ¿Pareja?

—Ahora que lo dice, estaba a punto de casarse, con su mánager. Yo diría que la alteración en que se encontraba los últimos días estaba más relacionada con eso que con la obra. Lamentablemente, Paula era muy hermética con respecto a su vida privada. Yo no recuerdo el nombre de ese hombre y la verdad lo vi pocas veces. Solo en los estrenos. La única persona que conozco que tenía una relación cercana con ella es otra actriz de mi grupo.

—¿Nina?

—Así es. Catrina González. Ahora, si me disculpa, inspectora, tengo compromisos pendientes hoy por la tarde. Mi conductor me espera afuera. ¿Va a algún lugar en específico? Si lo desea, puedo llevarla.

Aneth se quedó pensando un momento. Al final accedió a la propuesta y ambos salieron a un día particular que derramaba sobre ellos, de forma simultánea, la luz diurna y las pequeñas gotas de una llovizna persistente.

8

EN EL CAMINO, Aneth solicitó que la dejaran en un café que no quedaba muy lejos de la estación de Policía. Aprovecharía para comer algo antes de ir por el informe. Sin embargo, mientras comía, creyó ver a una persona conocida a través de la vitrina, pasando de largo por el café. Dejó un momento la comida y salió corriendo para alcanzarlo. El andar taciturno y la apariencia andrajosa parecían confirmar su sospecha, aunque solo podía verlo de espaldas. Al estar lo suficientemente cerca decidió salir de dudas.

—¿Jefe Goya? —dijo algo emocionada, pero tratando de disimularlo.

El hombre volteó un poco asustado y no dijo nada. Era la segunda vez que Aneth lo veía y le dio la misma impresión, la de una persona que no está ahí del todo o que tiene un pie en otra dimensión.

—¿Estuvo en la estación? —preguntó, recuperando el tono ecuánime—. El informe sobre el crimen debe estar listo.

—No lo está —replicó Goya y retomó su camino.

—¡Espere! —exclamó, buscando detenerlo—. Vengo de entrevistar al director y también hablé con personal del grupo y del teatro.

El jefe Goya se detuvo, de forma pausada. Luego asomó el perfil de su rostro.

—¿Va a venir o no? —preguntó después.

Aneth miró hacia el café, pensando en su comida. Cuando volteó hacia Goya, este retomaba su andar. Gruñó y fue corriendo al café. Llegó a su mesa, tomó sus cosas y dejó dinero sobre la mesa. Luego volvió a alcanzar al viejo Goya, quien le daba un trago a su botella personal de brandi. Al advertir la presencia de la chica, el inspector hizo un gesto para ofrecerle un trago. Después de recibir su negativa, guardó la botella en el bolsillo interno del saco.

—¿Ahora con Nina González? —preguntó Castillo.

—Nina González —confirmó Goya.

Aneth se detuvo en la orilla de la acera para pedir un taxi.

—No —se apresuró a decir Goya—. Mi auto está por aquí.

Catrina González vivía en un apartamento bastante cómodo, pero que no llegaba a ser lujoso. Nada cercano al ático del director, sin duda, como tampoco tenía el aire sofisticado del de Rosales. No había nada rebuscado o extraordinario en la apariencia del apartamento, aparte de unos afiches de películas, dentro de los cuales se encontraba uno de *Hombre malo, mujer buena*, y un estuche duro de guitarra. Al recibirlos, se mostró muy hospitalaria y simpática. Aneth notó el disimulo de la actriz al percibir el olor fuerte a alcohol y tufo de Goya.

Catrina llevaba ropa de trotar o hacer ejercicios, aunque más tarde les dijo que no tuvo ánimos para hacer nada. Ni de cambiarse. Sin embargo, no por ello dejaba de presentarse arreglada. Aquel esmero ya lo había advertido Aneth la primera vez que la vio. Pero ahora, cuando todavía la luz del día penetraba por las ventanas y la podía ver más de cerca, y con mayor detenimiento, la impresión era mayor y casi le causaba un sentimiento de admiración, por el hecho de que ella gastaba la mínima cantidad de tiempo posible en esos cuidados, solo lo suficiente para aparecer presentable y profesional. La actriz, en cambio, parecía ser el caso contrario y, para Aneth, era evidente que cada segundo que Nina dedicaba a su apariencia lo hacía con sumo gusto y placer. Su maquillaje era impecable, aunque se notaba que había estado llorando. Su cabello largo era de un castaño rojizo con brillos amarillos y, aunque Castillo advertía que era ondulado, también podía distinguir el uso de productos sofisticados para su cuidado. Cada hebra parecía ocupar un lugar con un propósito. Por otro lado, su vestimenta, a pesar de ser «deportiva», estaba combinada con mucho estilo. Casi le causaba envidia. Aneth podía imaginársela perfectamente tomándose fotos con la combinación de ropa elegida para cada ocasión y compartiéndolas por las redes sociales. Estilo era quizá la palabra con que la inspectora podía definir mejor la apariencia de Nina; solo seguida por las palabras belleza y simpatía, ya que, a pesar de la imagen, lo que le transmitía en el momento era un sentimiento de desolación, de alguien que acaba de perder, de forma súbita, a un miembro de la familia. De manera que la impresión general era la de una modelo —debía tener la misma estatura que Aneth— que está a punto de realizar una sesión de fotos para la sección de *fitness* de una revista de moda, pero que trata de ocultar su dolor ante la cámara.

Todo aquello el jefe Goya podía percibirlo, a su manera, ya que la inspectora notaba cómo le agradaba mirarla y, también, el tacto insospechado con el que la trataba. «Hombres», pensaba Castillo, «qué bobos son».

—¿Cómo conoció a Paula Rosales? —preguntó Goya.

—Pau y yo nos conocemos —respondió Nina, pero se detuvo un momento—. Perdón... Ambas empezamos juntas en el teatro. Éramos unas adolescentes apenas.

—¿Se conocían desde hacía mucho, entonces? —intervino Castillo.

—Sí, cariño —respondió, suspirando—. Cuando apenas empezábamos a descubrir la vida y el mundo. Fue como amistad a primera vista. Por entonces había un grupo teatral muy famoso. Se llamaba Escena...

—¿El de Horacio Vitto? —preguntó Goya, interrumpiéndola.

—Exacto —respondió Nina, sonriendo—. Fue antes del terrible escándalo en el que se vio envuelto y, pues, antes de su lamentable desaparición. —Su mirada pareció perderse un instante, pero enseguida volvió su luz y retomó—. En aquel momento el grupo había abierto, por vez primera, un curso de preparación teatral para menores de edad. Tenían la intención de crear una versión juvenil de Escena. En fin, desde el primer día nos hicimos amigas.

—¿Se conectaron desde el primer momento? —preguntó Aneth.

—Sí. Cuando la instructora empezó a dar la charla introductoria, apenas durante el primer día del curso, ella y yo solíamos intercambiar miradas de no entender nada, de sentirnos un poco desubicadas.

—¿Pero usted sí sabía que quería actuar? —indagó Goya.

—Sí —respondió Nina con semblante alegre, como si esos buenos recuerdos le trajeran consuelo—. Y ella también, como lo supe unas horas después. Lo que sucede es que, aunque no lo crean, Pau era una persona muy tímida y reservada. Yo también era muy tímida. El teatro nos ayudó mucho en ese sentido. En fin, en el primer descanso yo me alejé un poco para fumar un cigarrillo, un vicio que acababa de tomar, y que ya dejé, gracias a Dios. Ella se me acercó para pedirme uno, aunque no sabía fumar. Yo le enseñé, pecadora de mí. No hablamos mucho en ese momento. Lo mismo que ya nos habíamos dicho con las miradas. En el segundo descanso sí conversamos sobre nuestras actrices preferidas y sobre nuestro sueño de ser estrellas de cine. Desde entonces fuimos amigas. Claro que ella fue la única que realmente cumplió ese sueño. —Su voz se quebró por un momento—. A mí al final terminó gustándome más el teatro que el mundo del cine. No hay nada como trabajar directamente con una audiencia. Y, obvio, cuando se empezó a hacer famosa nos alejamos un poco. Sin embargo, me escribía de vez en cuando. Años después, Nathan Smith creó Prosopos y yo estuve desde el primer momento. Poco antes de eso me llegó a escribir que le gustaría volver al teatro y, en un futuro, dirigir. Meses después me volvió a mandar noticias, diciendo que Nathan la quería en el grupo y yo le dije que trabajaba con ellos. Creo que eso fue lo que le dio el empujón final para unirse.

—Fue reportado que usted encontró el cuerpo —dijo Goya—. ¿Nos puede contar lo que estaba haciendo antes y cómo lo encontró?

—Tuvimos un ensayo general en la mañana. Para la tarde Pau se quedó con Nathan y el actor principal para trabajar un poco más en ciertas escenas y algo sobre unas ideas que Pau tenía.

—¿El actor principal? —preguntó Aneth.

—Sí. Iván Ruiz. Como mi papel era secundario, ya no tenía nada que hacer en el teatro. Así que almorcé afuera, luego fui al gimnasio. Cuando salí de allí vine acá, a mi casa, pero había olvidado las llaves en el teatro, en mi camerino. Así que volví al teatro, busqué mis llaves y antes de salir noté que la puerta del camerino de Pau, al final del pasillo, estaba abierta y con la luz encendida. Sabía que Iván y Nathan seguían en el teatro porque los había visto y saludado. Pero no había visto a Pau y me imaginé que estaría allí, así que decidí pasar para despedirme de ella...

Nina interrumpió el relato un momento, tratando de controlarse.

—La puerta estaba entreabierta... —dijo mientras la voz se le quebraba—. Y cuando la empujé... Estaba ahí, tirada, inmóvil, con los ojos abiertos...

Se estaba comenzando a alterar. Cerró los ojos y respiró profundo para calmarse.

—Yo nunca había visto un cadáver —dijo, retomando el relato—. Y ver el de mi amiga... Simplemente fue demasiado. Comencé a gritar, despavorida. Entré en pánico.

Entonces se detuvo y se levantó a servirse un trago de *whisky*. Les ofreció a los visitantes, quienes se negaron, pero agradecieron el detalle. Ella se volvió a sentar y se lo bebió todo de un trago.

—¿Alguna vez pelearon o hubo alguna rivalidad fuerte entre ustedes? —preguntó Castillo.

—Tú sabes cómo somos las mujeres, cariño. A veces nos tratamos peor de lo que nos trata un hombre. Pero entre ella y yo nunca hubo tal cosa. Nada dañino. Cuando comenzamos juntas había una competencia sana. ¿Pero qué hace uno cuando es testigo de esa chispa divina, ese *je ne sais quoi* del talento innato? Yo no tengo problema en admitir que soy una buena actriz de teatro. Pero no se imaginan cuánto me ha costado. Me lo he ganado con sangre, sudor y lágrimas. En cambio, cuando la veía a ella, había algo, algo que nunca supe bien identificar, pero que la hacía deslumbrarte, conmoverte, o llenarte de ira si el papel que representaba lo pedía. Yo solo podía sentir admiración y orgullo por ser testigo de cómo semejante talento iba floreciendo.

Nina se detuvo y empezó a llorar, sin estruendos, sin histerias, solo dejaba salir las lágrimas, que ahí mismo secaba con un pañuelo, suspiros y algún sollozo. Aneth se tomó la libertad de coger su vaso e ir a servirle otro trago. Bebía ahora lentamente, respirando profundo, buscando recuperar la compostura.

—Entonces —dijo Aneth cuando ella se calmó—, ¿podría decir que Paula confiaba en usted?

—Sí. Quizá no compartía cada una de las anécdotas, pero sí sus emociones, sus estados de ánimo, cómo se sentía con respecto a algo que hubiera sucedido.

—¿Qué nos puede decir de ella con relación a los últimos acontecimientos de su vida? ¿Le habló de algún problema grave o de alguien por quien se sintiera amenazada?

—Pues pronto se iba a casar con Antonio Luque, un empresario que se convirtió en su mánager. Ella misma me contó, después de unos meses de comprometerse, que el matrimonio le estaba causando ansiedad. Al parecer, Luque era muy posesivo y terriblemente celoso. Le comenzaban a invadir las dudas. Precisamente, hace pocos días rompieron el compromiso, porque ella le fue infiel... Ella me dijo que Antonio la había amenazado de muerte. Se podrán imaginar... Todo esto... —Su voz se volvió a quebrar—. Ella pasó sus últimos días muy alterada.

A la mujer la invadió un desconsuelo terrible. Casi no emitía sonidos y se pasaba la mano por el pecho, como tratando de aliviar un dolor. Al verla así, el jefe Goya le hizo entender a Aneth que ya era suficiente por el momento. Al salir, Nina les ratificó que se ponía a la orden si tenían más preguntas. La tarde caía. Se subieron en el auto de Goya y comenzaron a dirigirse a la estación de Policía, esperando que el informe sobre la escena del crimen estuviera listo.

—¿Y qué opina? —le preguntó Castillo a Goya mientras iban en el auto.

—Todavía es muy temprano para sacar conclusiones — dijo él y se echó un trago de brandi—. Se muestra cooperativa y muy espontánea en sus reacciones.

—¿Pero...?

—Pero más vale seguir pensando que todos son culpables hasta conseguir al verdadero culpable.

—¿Quién es el tal Horacio Vitto? —preguntó con curiosidad Castillo—. ¿Qué le ocurrió?

—Por Dios, ¿ni siquiera veía televisión?

—Quizá estaba cambiando los inyectores de un motor, cazando o acampando con mi padre.

—Humm... —Goya la miraba de reojo, como a un bicho raro—. ¿Entonces era de las afueras de Aborín?

—¿Sabe de dónde soy?

—No soy el «jefe» Goya por nada.

—Cierto. Bueno, Horacio Vitto.

—Hace alrededor de diez años era tal vez el actor más importante o respetado del país. No era raro verlo como actor principal en alguna telenovela. Lo mismo con las películas nacionales y hasta llegó a aparecer en algunas extranjeras. Ya había consolidado una carrera de larga trayectoria y fue uno de los pioneros del teatro moderno nacional cuando cayó la dictadura. Sin embargo, precisamente cuando se encontraba en la cima del reconocimiento, comenzaron a aparecer denuncias de pederastia en su contra.

—¿Quiénes hacían la denuncia?

—Los padres de menores de edad que, en apariencia, él formaba en actuación, personalmente. Esto fue justo antes de la existencia de Escena Juvenil. De hecho, este grupo se formó para tratar de mejorar la imagen pública de Vitto y varios actores y personajes del entretenimiento lo ayudaron, trabajando en el grupo como maestros. Aunque no lo creas, funcionó. En parte porque el grupo juvenil empezaba a servir como semillero de nuevas estrellas.

—¿Como Paula Rosales?

—Como Paula Rosales.

—¿Y qué le sucedió? ¿Cómo murió?

—Pues ahí está el detalle. La palabra que usó Catrina González fue muy adecuada. Desapareció, literalmente.

—¿De repente? ¿De un momento a otro?

—Algo así. Una noche se reportó un incendio en su residencia. Él no se encontraba y las autoridades nunca lo pudieron ubicar. Hasta yo mismo estuve en esa casa, con mi compañero. Pero nada. Nunca se supo más de él ni se halló su cuerpo. Se cree que en el incendio se perdieron pruebas contundentes sobre su culpabilidad con respecto a las denuncias de pederastia.

—¿Por qué se creía tal cosa?

—Cuando ocurrieron las denuncias, nunca se pudo investigar el domicilio de Vitto. Los tribunales nunca dieron la orden. Seguro estaban comprados. De igual manera, los medios apenas cubrieron estos hechos.

—Entonces, el viejo quemó las pruebas y desapareció del mapa.

—Es lo más probable. Por cierto, ¿qué hay de Smith? ¿Qué impresión le dio?

—Un poco menos transparente que Nina. Al menos en apariencia. Objetivamente, no tendría mucho qué ganar con la muerte de Rosales. Pero es posible que tuviera algún tipo de fascinación extraña por ella. No descarto que hasta haya podido ocurrir algo entre los dos. Según los del teatro, él se mostraba muy atento y preocupado por ella. Ese sería el único móvil que podría tener.

—No hay que bajar la guardia con él. Ahora sabemos que Antonio Luque es un sospechoso, pero también debemos investigar con quién le fue infiel Rosales. Aunque no sepamos quién es, es un sospechoso.

—Entendido.

9

—¡Que me lleve el diablo, Castillo! —dijo el comandante cuando se dio cuenta de quién era la persona que entraba a su oficina junto con ella.

—Sotomayor —dijo Goya—, dejemos las pendejadas para después, que no hacen falta ahora. ¿El informe está listo?

—El mismísimo jefe Goya —dijo el comandante entre risas incrédulas—. No se le pueden enseñar trucos nuevos a un perro viejo, ¿eh? Algo me decía que no se resistiría a Castillo.

—Señor... —trató de intervenir Aneth.

—¿Ya le contó cómo le dicen en los bares del Centro? —le preguntó a ella el comandante—. ¡El goyador!

—Lo único que me interesa es saber si el informe está listo, señor —replicó la inspectora con seriedad.

—Está bien, está bien —le respondió—. Veo que los dos tienen en común la falta de sentido del humor. Sí, ya está listo. Déjenme llamar a Cota. Haremos la reunión en el salón de conferencias en cinco minutos.

Mientras tanto, Aneth empezó a conocer a los otros

colegas de la estación y el jefe Goya se dirigió al baño. Mientras caminaba hacia allá, algunos comenzaron a reconocerlo. Había cambiado mucho desde la última vez que lo vieron. Quien alguna vez fue un hombre corpulento y de apariencia decente, ahora había adelgazado considerablemente y tenía una barba de quién sabe cuándo. Su cabello también era un desastre. Le daban la bienvenida y lo saludaban con sumo respeto, tratando de disimular el impacto que les causaba el fuerte olor a alcohol del inspector. Una vez en el baño, vació la vejiga y trató de arreglarse en lo posible, frente al espejo. Lo único que pudo resolver fue mojarse la barba y el cabello para conseguir cierta uniformidad. O al menos una idea de eso. Que la gente vea que está bien, que aunque sea puede fingir, incluso si no es así. En un mundo de apariencias, Sancaré no era la excepción, ni siquiera estaba cerca de serlo. Y en un mundo así, en una ciudad así, no hay sitio para los extraños, los inusuales, los raros. Son confinados a los bares de mala muerte, lugar de las prostitutas, de los drogadictos. Goya conocía la ciudad como casi nadie la conocía: el esplendor de sus cumbres de civismo y la profundidad de sus abismos de perdición. Una vez se sintió listo, un escalofrío lo recorrió, haciéndolo temblar y sudar frío. Saca de su saco un par de pastillas de naloxona y se las toma con un trago de brandi. Observa la botella. Se está acabando. Piensa en comprar otra apenas salga de ahí.

Se encuentra con los aplausos de los presentes en la estación, que se hallaban reunidos, esperándolo afuera del baño. Entonces siente otro escalofrío atravesándolo y los aplausos le parecen chirridos de un cuchillo en tubos oxidados, la luz le molesta. Se esfuerza en mantener cierta apariencia. Después de todo, sigue siendo un tipo fuerte. O si no fuerte, resistente.

—No hace falta toda esta mierda —dijo el jefe Goya con

aplomo—. Les agradezco y todo eso, pero hay cosas más importantes que hacer.

Se escucharon algunas risas y exclamaciones de aprobación. De inmediato, Goya se dirigió al salón en donde ya lo esperaban Aneth y los otros.

—¿Algún avance sobre el caso? —preguntó el comandante a Goya y Castillo.

—Tenemos un primer sospechoso —respondió la última —. Existe un móvil pasional. Se trata de Antonio Luque, mánager de la víctima. Pronto se iban a casar, pero rompieron el compromiso por una infidelidad de Rosales. Una testigo asegura haber escuchado de la propia víctima que Luque la había amenazado de muerte. Es el móvil más claro que tenemos hasta el momento.

—Bien. Señor Cota, ¿qué tiene para nosotros?

—El primer detalle —dijo el criminalista mientras exponía las fotografías pertinentes— es que la puerta no mostró señal alguna de haber sido forzada. Por otro lado, como seguro habrá notado la inspectora, la víctima apenas llevaba ropa encima. Estos dos elementos sugieren dos posibilidades principales: o la víctima conocía a la persona que la mató, o esta persona pasó desapercibida y tenía los medios para entrar. Creo que estarán de acuerdo conmigo en que la segunda opción parece la menos probable.

—Considerando que la primera posibilidad fuera el caso —intervino Goya—, no solo cabría suponer que la víctima conocía al asesino, sino que había una relación cercana entre ambos. No necesariamente romántica, aunque esto también es posible, claro. Digo, a no ser que en el mundo del teatro no haya ningún tipo de barreras en ese sentido, cosa que también es posible, el hecho de que la víctima se dejara ver con tan poca ropa, implica que se sentía cómoda en presencia del asesino. El problema es que, en los testimonios que hemos podido recoger la inspectora y yo, la víctima era conocida por ser muy reservada, pero también por ser muy encantadora y, yo diría, seductora.

—En segundo lugar —retomó Cota—, el estado general del camerino era de desorden: un florero roto, agua derramada, flores y maquillaje esparcidos por el suelo, espejo del tocador roto, ropa y zapatos desordenados...

—Hubo forcejeo —interrumpió esta vez Castillo—. La víctima se encontraba en buen estado físico. Dio la pelea. No se dejó.

—Exacto —afirmó Cota con cierta exasperación—. Un forcejeo intenso. Nada más fíjense hasta dónde llegó ese tacón. —Cota señaló una foto en la que se veía un tacón azul, cerca de la víctima, pero del otro lado de donde se encontraban el resto de zapatos—. En tercer lugar, no hay rastros de ADN o huellas dactilares extrañas. Todas las huellas que se encontraron pertenecen al personal del teatro o al grupo teatral, lo cual resulta lógico, considerando que a los camerinos entra y sale gente todo el tiempo. Claro que esto no implica que haya sido alguien de alguno de esos grupos, ya que en el cuerpo de la víctima no se encontraron huellas de ningún tipo. Por último, la causa de muerte, como se sospechaba, es asfixia mecánica por estrangulamiento. Hay marcas en el cuello de la víctima y la autopsia reveló daños físicos internos en el área del cuello. Por otro lado, el cuerpo muestra marcas de que el agresor usó las manos para estrangularla, pero que también la ahorcó con los brazos, y creemos que el último método fue el que causó su muerte, aunque esta es mi opinión personal. Quizá el cambio esté relacionado con el forcejeo mencionado.

—Es probable —agregó Goya— que el agresor haya hecho esto antes. Quizá tenga antecedentes de violencia física... Por otro lado, si la atacó por la espalda, pudo haber tenido algún tipo de remordimiento o reserva con respecto a lo que iba a hacer. De pronto la atacó por la espalda para que la víctima no viera su rostro mientras lo hacía. O, simplemente, quería atacarla por sorpresa, lo que reforzaría la hipótesis de que era alguien conocido y cercano. Lo que a mi parecer deberíamos descartar es que el crimen haya sido realizado en el calor del momento, en un brote de furia circunstancial. Había premeditación. Además, si en algún momento la estranguló con sus propias manos, cara a cara, es probable que el agresor estuviera satisfaciendo algún tipo de venganza y por ello quería que la víctima lo mirara muy bien mientras cometía el crimen.

—Luque... —intervino Castillo.

—Es posible —replicó Goya—. Sin embargo, todavía no estamos seguros de si hemos cubierto a todos los sospechosos. Lo dudo. Tenemos toda la información de contacto sobre Luque, ¿correcto?

—Así es —respondió Sotomayor—: dirección, teléfono de la casa, de la oficina y también el número de su celular.

—Bien, mandemos a dos muchachos a su residencia, que lo mantengan vigilado en caso de que quiera hacer alguna movida extraña. Castillo, vamos a contactarlo para una cita mañana. Ya es tarde y no creo que quiera recibirnos ahora.

—Entendido —dijo Castillo.

10

La noche anterior, Castillo ubicó a Antonio Luque en las oficinas de su empresa. Había tratado de hablarle a su celular, pero la llamada caía directo al buzón de mensajes. Tampoco pudo contactarlo en su casa después de varios intentos y pensó lo peor, que se había dado a la fuga, pero, por otro lado, eso lo hubiera delatado como culpable. Sin embargo, cuando llamó a las oficinas, pudo hablar con él. Según Luque, se quedaba trabajando hasta tarde para buscar distraer su mente, en lo posible, de la pérdida. Pautaron la cita para la mañana siguiente, ya que en la tarde sería el funeral y prefería no tener ningún otro compromiso después. A la mañana siguiente, la patrulla les confirmó a Castillo y Goya que Luque llegó tarde a su casa y que no ocurrió nada sospechoso durante la madrugada.

Castillo y el jefe Goya iban llegando a Lomas del Este, la zona donde vivía Luque. Se trataba de uno de los barrios más cotizados y costosos de la ciudad, de mansiones grandes y lujosas. Quedaba claro que Luque era un hombre adinerado y exitoso. En las averiguaciones previas, ambos se enteraron de que Luque era el creador y presidente de una importante productora, encargada de eventos a gran escala y también del *managing* de artistas de diversa índole.

La lujosa casa de Luque era de un estilo minimalista, muy moderna.

—Si tuviera el dinero —dijo Goya antes de salir del auto con Castillo—, no me construiría una casa así. Ni siquiera sé si esto es una casa. ¿Esto es una casa?

—Parecen unas cajas grandes —dijo Castillo — hechas por niños de preescolar.

Goya sacó una botella nueva de brandi y la abrió. Luego se metió una pastilla en la boca y la pasó con un trago del licor.

—¿Cómo le funciona todo eso? —le preguntó Castillo algo desconcertada.

—Todavía no me piso el rostro.

Entonces subieron los largos escalones que atravesaban un jardín cuidadosamente trabajado, hasta la entrada principal, y llamaron al timbre. Una voz les habló desde el intercomunicador, pidiéndoles que esperaran unos segundos. Momentos después les abrió la puerta un hombre de edad cercana a la de Goya, algo más alto de lo que era Catrina González. Su físico, para su edad, parecía bastante atlético. De piel morena, algo más oscura que la de Rosales. Su cabello ya mostraba varias canas. Pero no tantas como el de Goya. Estaba vestido completamente de negro y su semblante en general era de aflicción.

—Buenos días, inspectores —dijo—. Por favor, pasen adelante. Disculpen la demora.

Al entrar, los inspectores se encontraron con una suerte de pasillo, con fotos en las paredes, que daba a la sala principal. Las fotos eran numerosas y mostraban a Antonio y Paula en diversos parajes: zonas urbanas, campos, montañas.

Aparecían en la torre Eiffel, con el Big Ben al fondo o en un piso elevado, mostrando la ciudad de Manhattan. Sin embargo, las más numerosas eran las de Paula sola, en medio de rodajes o piezas teatrales, o posando sola, muy coqueta, muy sensual.

Era el pasillo lo más sobrecargado de la decoración. Al pasar a la sala, una extraña sensación de calma invadió a Goya y a Castillo, propiciada por los grandes espacios y la presencia reducida de objetos. Solo un cuadro colgaba de la pared más grande. Un lienzo de gran tamaño, blanco, con algunos trazos gruesos que parecían imitar un estilo oriental, como de caracteres chinos o japoneses. Ninguno de los dos hubiera sabido cuál, si uno o lo otro. El anfitrión los invitó a sentarse.

—¿Desean tomar algo? —preguntó después Luque de forma amable.

Aneth iba a responder que no, pero la interrumpió Goya.

—Café, por favor —dijo él—. Bien cargado. ¿Está bien si fumo?

Antonio se mostró contrariado, pero le dijo que no había problema. Luego abrió los ventanales con un control remoto y llamó a la criada. Le pidió que hiciera café para tres. Para Aneth era evidente que a Luque le desagradaba el jefe Goya. Eran como el día y la noche. Uno, en el abandono, sin nada que perder. El otro parecía que lo tenía todo y que acababa de perder algo.

—Ustedes dirán en qué puedo serles útil, inspectores.

—Le agradecemos que nos haya recibido, señor Luque —dijo Aneth—. Entendemos que debe estar pasando por momentos difíciles, pero lamentablemente no podemos detener la investigación y tenemos que hacerle algunas preguntas.

—Lo comprendo a la perfección —replicó él—. Tienen

trabajo que hacer y quiero dar toda la ayuda que pueda para dar con el culpable de esto.

—¿Qué se encontraba haciendo —preguntó Goya— la noche que Paula Rosales fue hallada muerta?

—Me encontraba de viaje por trabajo. Estaba en Puerto Luz.

—¿Hay personas que puedan corroborar su presencia? —preguntó Aneth.

—Claro. Puede corroborarlo con mi secretaria y con la Dirección de Cultura del puerto.

—¿Nos podría decir —preguntó Goya— cómo conoció a Paula Rosales?

—He seguido la carrera de Paula desde que comenzó a recorrer los circuitos teatrales. Siempre fui un aficionado al teatro. Y las actrices siempre me han causado una atracción que no puedo explicar. La primera vez que la vi actuar fue en una representación de la tragedia *Antígona* y ella tenía el papel principal. Quedé completamente fascinado por su actuación y su belleza. Sin embargo, todavía no estaba convencido de que fuera una actriz talentosa. ¿Cuántas veces no hemos visto actores que solo hacen un mismo personaje, con ligeras variaciones?

—Cierto —dijo Goya.

—Por eso decidí seguirle la pista. La segunda vez que la vi fue en una obra extenuante, *¿Quién le teme a Virginia Woolf?*, no sé si la conocen.

—No —dijo Aneth de inmediato.

—Una vez vi una película con ese nombre —dijo Goya.

—Entonces sabe a qué me refiero. La interpretación de Paula fue tan increíble que llegué a sentirme mal, físicamente, de lo mucho que me irritaba el personaje que interpretó. Un efecto completamente opuesto al de *Antígona*, que no despertó sino simpatía y compasión en mí. Entonces me declaré un seguidor y admirador incondicional de su trabajo. He visto cada una de las actuaciones que ha realizado desde entonces.

—¿Pero cuándo la conoció en persona? —insistió Goya.

—Fue en el Festival de Teatro de Sancaré. Era la primera vez que ella participaba. El festival de ese año, como muchos otros, había sido organizado por mi productora en conjunto con la gobernación de la capital. Antes de su primera presentación, me acerqué para regalarle un ramo de flores y desearle éxito. Eso, además de decirle lo mucho que admiraba su trabajo y que tenía un gran futuro como actriz.

—¿Recuerda el tipo de flores que le regaló? —intervino Castillo.

—Era un ramo con camelias rojas y calateas naranjas.

—¿Y cuándo empezó a tener una relación sentimental con ella? —preguntó Goya.

—La verdad... Ahora me parece que desde que la vi por vez primera en el escenario ya tenía una relación sentimental con ella. Claro, ignorada por mí y por ella. Con el tiempo, mi admiración fue fácilmente transmutando en amor, y ese amor, en pasión. Desde que la conocí en persona empecé a ofrecerme yo mismo para ser su mánager. Claro, yo solo pensaba en pasar el mayor tiempo posible con ella. Serle útil. Y sabía perfectamente cómo llevarla lejos y convertirla en toda una celebridad. Estuve varios años cortejándola como mánager. Puedo decir con orgullo que hice un buen trabajo. La llevé hasta Cannes. Logré que el mismo Alejandro González Iñárritu se acercara a ella para felicitarla y hablar de futuros planes. Como mánager logré acercarme más a su corazón. Y entonces empezó mi periplo de cortejo como pareja. Habrán sido dos años de cortejo. Empezamos a salir juntos hace ocho meses. Yo no cabía en mí de la felicidad. Y...

La voz de Antonio Luque se quebró y se detuvo un momento para recuperar la compostura. Entonces llegó la criada con el café y tres tazas. Al ver a su jefe consternado, decidió dejar la bandeja en la mesa y se retiró, mirando a los invitados, indicándoles que podían tomar sus tazas.

—¿Es cierto que planeaba casarse con la víctima? —preguntó Goya después de tomar un sorbo de su café sin azúcar.

—Sí, hace un mes le propuse matrimonio y me dijo que sí. Yo no podía creer que todo ello estuviera pasando. No podía creer mi dicha. Verán... Mis padres murieron cuando yo todavía era un muchacho. He tenido el privilegio de pertenecer a familias de mucha tradición, así que mi herencia fue cuantiosa. Sin embargo, aunque nunca tuve problemas financieros, no obstante, afectivamente siempre me sentí muy pobre, muy hambriento. Claro, tuve a muchas mujeres. En cuanto sabían quién era se me entregaban con facilidad. No me amaban. Pero Paula no... Paula nunca fue fácil. Sin embargo, una vez en su corazón, te hacía sentir único. Te hacía sentir que tu existencia importaba, que eras indispensable en su vida. Así que se podrán imaginar mi felicidad cuando aceptó casarse conmigo.

—Pero rompieron el compromiso. ¿Por qué? —intervino Goya.

—Pues... —Luque soltó un hondo suspiro—. Paula me fue infiel.

—¿Pero cómo sabe que le fue infiel? ¿Ella se lo confesó?

—Porque yo mismo los encontré juntos —respondió Luque casi alzando la voz, luchado para contenerse. Su semblante había cambiado. Se podía ver la ira en su mirada, que se perdía.

—¿Con quién la encontró? —continuó indagando Goya como si hurgara en una herida.

—Con el actorsucho ese —respondió Luque, molesto—, que se cree un galán de Hollywood...

—¿Iván Ruiz? —intervino Castillo.

—¡Ese! —exclamó Luque—. El presumido de Iván Ruiz.

—¿Qué ocurrió cuando los encontró? —retomó Goya.

Luque se tomó un momento para darle unos sorbos a su café.

—Es una de las peores cosas que he vivido —dijo luego—. Al comienzo no podía creerlo... Otra vez Luque se detenía. Se notaba que estaba agitado. Sus ojos se tornaban brillantes.

—¿Se molestó? ¿Sintió rabia? —continuó Goya.

—¡Pero claro! —exclamó el otro—. ¡Nunca me había sentido tan traicionado! Les acabo de contar lo que significaba para mí el que ella me hubiera entregado su mano en matrimonio. Al verlos me sentí completamente devastado, destrozado...

El hombre cerró los ojos. Se los cubrió con la mano izquierda. Su nariz enrojecía. Estaba controlando el llanto. Daba igual. Estaba llorando, pero en silencio. Se disculpó un momento para ir al baño a reponerse.

Mientras tanto, los inspectores intercambiaron miradas, como ponderando las respuestas y los relatos que acababan de escuchar. Luego, Aneth se levantó para dar una vuelta por el salón, mientras que Goya le echaba un chorrito de brandi a su café.

—Les ruego excusen mi comportamiento —dijo Luque cuando volvió—. No se imaginan lo afectado que estoy por su muerte. Sobre todo cuando nuestra relación quedó en tan malos términos. Les seré sincero. Cuando descubrí que Paula me estaba siendo infiel, sentí tristeza y rabia. Tuvimos una fuerte discusión. Nos gritamos y nos dijimos cosas horribles. Pero yo nunca hubiera sido capaz de ponerle una mano encima. Yo mismo fui quien decidió romper el compromiso, llevado por mi estúpido orgullo. Pero, apenas la dejé, me arre-

63

pentí de haberlo hecho. Yo quería intentarlo otra vez, pero pensé que sería más prudente dejar pasar unos días y que se calmaran nuestros ánimos. Planeaba hablar con ella después de llegar de Puerto Luz... Pero ya ven que no me fue posible. Sin embargo, les puedo decir lo siguiente, investigué al fantoche ese, al tal Ruiz, después de lo sucedido. Podría jurar que ese es el desgraciado que acabó con su vida.

—¿Qué lo lleva a pensar eso? —preguntó Goya.

—Después de descubrirlos, no sé por qué, pero necesitaba saber más del hombre con quien me había engañado. Entiendo que puede parecer morboso o masoquista de mi parte. Pero tenía que saber qué había visto Paula en él como para haber hecho lo que hizo. Descubrí que tiene antecedentes de violencia doméstica. Había estado casado y su exesposa lo denunció una vez por haberla golpeado.

—¿Está seguro de que esa información es cierta? —preguntó Aneth—. ¿Es de una fuente legítima?

—Pues la dio el mismo Departamento de Policía —dijo Luque con énfasis—. Ahora, si me disculpan, todavía hay cosas que arreglar sobre el funeral de esta tarde. Si tienen más preguntas, podemos pautar otra cita, para otro día, con mucho gusto.

Los inspectores agradecieron la hospitalidad de Luque y salieron de su casa. También asistirían al funeral, pero primero comerían algo. Es decir, Castillo comería algo.

11

—¿Ya puedo tomar su orden? —preguntó el camarero.

—Un almuerzo del día, por favor —dijo Aneth.

—A mí tráigame solo un café —pidió Goya.

—¿Por qué no toma aunque sea una sopa? —sugirió ella.

—No empiece, Castillo —dijo, tajante, Goya.

¿Empezar qué?, pensó ella. Nunca había dicho nada con respecto a lo que comía o no comía. Ni siquiera había tenido el tiempo. Si acaso tenían un día trabajando juntos. Pero parecía más. Parecía una semana por lo menos. Algo similar le ocurrió cuando empezó como patrullera. Los primeros días se le hacían muy largos. Sí había notado a Goya un poco más irritable de lo normal en la mañana, cuando la fue a buscar para ir a interrogar a Luque. En el poco tiempo que había trabajado con él se dio cuenta de que no era la persona más conversadora. Sin embargo, mientras se dirigían a la residencia de Luque se limitó a hacer esa observación sobre su casa y fue lo único que dijo en todo el camino. En cambio, en el camino al café donde ahora se encuentran, ni siquiera eso, y lo notaba aún más huraño.

—¿Qué son esas pastillas que tanto toma, jefe Goya? —preguntó ella solo para hacerlo exasperar.

—Medicina —le respondió—. ¿Por qué mejor no me dice lo que le pareció Luque?

—Bueno... —dijo desconcertada—. Siendo honesta, algo me dice que él es el culpable.

—¿Aún sin saber nada del amante?

—Todavía queda por investigar, pero me parece muy probable que sea él.

—¿Alguna razón o es una de esas cosas de mujeres?

—Usted puede pensar lo que quiera, Goya. A mí me parece muy sospechosa su completa disposición a colaborar con nosotros. ¿Vio cómo trataba de controlar su ira cuando hablaba sobre la infidelidad de Rosales?

—Es seguro que le dolió. Pero ¿por qué dudar de su disposición a colaborar? ¿Acaso duda de Nina González también?

—¿Nina? No veo un móvil lo suficientemente fuerte en Catrina González y asumo que usted tampoco, como sí lo hay en el caso de Luque. Hablaba de ella como un hombre obsesionado, casi como un acosador. Además, todas las fotos en la entrada. ¿No le pareció extraño?

En ese momento, el camarero volvió a aparecer con el primer plato del almuerzo del día, un caldo de costilla, para Aneth, y también con el café de Goya. Estos interrumpieron la discusión mientras tanto. Luego el hombre se retiró.

—Vi a un hombre completamente enamorado de una mujer —dijo Goya mientras Aneth daba la primera probada a su plato—. Y estoy de acuerdo en que tiene un móvil lo bastante plausible. Si, en efecto, él fuera el asesino, sería lógico. Pero por ello mismo no termino de convencerme. Sería demasiado fácil como para ser cierto. Además, Luque está actuando muy tranquilo y tiene mucho que perder.

—Eso es lo que para mí lo delata. Un hombre mayor que por fin iba a casarse con la mujer de sus sueños, una mujer que llevaba años persiguiendo, a quien tenía en un altar, como a una diosa. Y de repente la encuentra teniendo relaciones con otro actor, alguien más joven que él... Se derrumba la imagen prístina que tenía de ella y no soporta la traición. Decide matarla, pero, mientras la estrangula, tiene sentimientos encontrados porque es la misma mujer que adora. Pero ya no puede detenerse, las denuncias de Rosales destruirían su carrera. Entonces decide ahorcarla de espaldas, para que ella no lo vea, porque siente algo de remordimiento. Tú mismo escuchaste al criminalista, hay marcas de estrangulación con las manos y también que el asesino usó el brazo para ahorcarla. Ese hombre se ve lo suficientemente fuerte como para causar el daño que muestra el cadáver.

Aneth volvió a su sopa. Goya se quedó callado, pensativo. Ella terminó la sopa y movió el plato al frente. El camarero, que advirtió ese movimiento, se acercó con el segundo plato, un bistec con papas a la francesa y ensalada. Aneth picó un primer trozo de carne y se lo llevó a la boca. Lo degustó un momento.

—¿Y bien? —dijo ella con la boca llena—. ¿Qué piensa?

—Honestamente, lo que dice me parece una buena asociación de elementos subjetivos con evidencia dura. Es decir, conjeturas. Son plausibles. Pero no tenemos las pruebas necesarias para probarlo. Tenemos un móvil posible y tenemos reacciones emocionales de un hombre «mayor». Creo que esa fue la palabra que usaste.

—Es cierto —dijo ella mientras picaba otro trozo de carne —. No tenemos pruebas contundentes. Me preguntó mi opinión sobre Luque y yo se la di.

Entre ellos se instaló un silencio tenso e incómodo. No

dijeron otra palabra. Aneth comió en silencio y Goya se retiró un momento para ir al baño. Cuando ella terminó de almorzar, salieron en dirección al cementerio.

12

LA LLUVIA no se había detenido en ningún momento. Ahora solo bajaba y subía de intensidad. Se empezaban a escuchar noticias de derrumbes en algunos de los barrios pobres que rodeaban las afueras de la capital y también deslizamientos de tierra en ciertas zonas montañosas. La llovizna suave que caía sobre ellos al salir del café se tornaba ahora en lluvia intensa mientras iban por la autopista, camino al cementerio. En la radio se oía un avance de noticias sobre el funeral de Rosales, al cual empezaban a llegar personajes de la farándula y el entretenimiento.

Al llegar, la lluvia parecía menos fuerte, pero ambos podían ver a las personas caminando por el cementerio, paraguas en mano, solos o en parejas, para despedir o recordar a aquellos que han perdido. Ellos continuaron avanzando en el automóvil, con la intención de estacionar lo más cerca posible al funeral de la Diva. Entonces empezaron a ver autos identificados con logotipos de canales de televisión, o emisoras de radio, y patrullas de la Policía. También advirtieron que el volumen de gente aumentaba. Se dieron cuenta de que no iban a poder ver mucho desde el auto. Querían ver a los asistentes, identificar rostros, analizar posturas. Aunque nada de esto se lo comunicaron verbalmente. Solo con miradas que parecían obligatorias, como un requisito mínimo de respeto entre compañeros de trabajo. Aneth llevaba consigo un saco impermeable con capucha que había usado desde que llegó. Goya esperó a que ella se bajara primero para sacar de la guantera una bufanda y coger un sombrero que llevaba en el asiento de atrás. Una vez fuera del auto, buscaron la loma más cercana para tener una buena panorámica del evento. Las cámaras y los personajes despojaban al funeral de su aura solemne. Lo convertían en un comentario más de las saturadas redes sociales, en una nota a pie de foto, perdida en una infinidad de notas más. Paula Rosales no era ya el ser humano que alguna vez vivió, tuvo amigos, amores, frustraciones y esperanzas. Ahora solo era un rumor, una ausencia.

Una vez instalados en la loma, bajo el precario resguardo de un árbol, el jefe Goya se agachaba y aguzaba la vista para tratar de observar el entierro. Entonces, Aneth sacó de su bolso unos pequeños prismáticos. Al darse cuenta de esto, Goya se volvió a poner de pie, un poco desconcertado.

—¿Esas pastillas no lo ayudan con la vista? —dijo ella.

—Está bien. Disfrute su momento. Dígame, ¿quiénes están?

—Veo a Catrina González. Allí está el director. Veo a Antonio Luque, con cara de pocos amigos. Y creo que está el amante también.

—¿Iván Ruiz? —preguntó Goya—. ¿Cómo sabe?

—Luque no deja de mirarlo con odio. Además, la noche que encontraron el cuerpo de Rosales, fue la primera persona que vi en el teatro que no parecía del personal de limpieza o administrativo. No sé, tenía cara de actor. También concuerda con el relato de Smith y de González, que fueron las otras dos personas que vi que eran de Prosopos.

—Dame eso —dijo Goya, quitándole los prismáticos.

—¡Oye! —exclamó Castillo—. Está mal de la cabeza, ¿sabe?

El jefe Goya observó detenidamente. Notó que Luque, en efecto, tenía una expresión de molestia y no de tristeza. Además observó a unos presentadores de televisión y de actrices de telenovelas. Un cura se encontraba a la cabeza del ataúd, hablando. La gente escuchaba en silencio.

—¿Qué sabe del pasado de Rosales? —le preguntó Castillo a Goya—. Sé que era huérfana y que la adoptaron unos ancianos ricachones.

—No realmente. Según lo que decían en la televisión, cuando dieron una breve retrospectiva de su vida, Rosales misma contaba que eran unos ancianos cuya situación fue en algún momento muy próspera, pero por malas decisiones terminaron sus días en condiciones muy humildes. La señora ya no podía tener hijos. Fueron quienes le dieron el apellido a Paula. Me parece que, para entonces, ella tendría nueve o diez años. Según la historia de la misma Rosales, la rescataron de la calle. A ella y a otro niño un poco mayor. Se habían escapado de la casa hogar donde vivían. No fueron los únicos. Tenía mala fama ese lugar. Poco después el chico desapareció. Fue una época terrible en la capital. Se reportaron varias desapariciones de menores por entonces. Pero la mayoría tenía que ver con niños de la calle. Una desgracia. En fin, los viejos murieron años después, cuando ella ya era adolescente. Le dejaron lo poco que les quedaba. Yo mismo recuerdo haberme encargado de alguna de estas desapariciones, pero no dimos con nada.

—¿Qué hay del orfanato? ¿Sigue funcionando?

—En verdad, no lo sé.

71

Entonces escucharon un bullicio que venía de la zona del entierro. Era un desastre. Al parecer, algún tipo de pelea, y los oficiales de la Policía trataban de restablecer el orden. A medida que se acercaban, la gente tomaba distancia, revelando al final a un grupo de personas que trataban de separar a Luque, que al parecer se había abalanzado sobre Iván Ruiz, gritándole asesino. Al llegar, los inspectores ayudaron a los oficiales a terminar de separarlos.

—¡Asesino! —gritaba Luque, a quien Castillo y Goya trataban de calmar—. ¡Confiésalo! ¡Fuiste tú!

—¡Ese tipo está loco! —exclamaba por su parte Ruiz, sacudiéndose la ropa—. ¡Tienen que encerrarlo!

El actor fue retirándose del lugar, visiblemente molesto. Goya dejó a Castillo con Luque para acercarse a Ruiz.

—¿Señor Iván Ruiz? —le preguntó cuando lo alcanzó.

—¿Qué quiere? —dijo el actor, malhumorado—. Si es reportero, no pienso dar declaraciones en este momento. Tampoco pienso dar autógrafos...

—Inspector Guillermo Goya —dijo el jefe, mostrando su identificación—. Quisiera hacerle unas preguntas. Creo que no necesito decirle en relación con qué.

—¿No creerá lo que está diciendo el loco ese?, ¿o sí? —dijo Ruiz mientras continuaba caminando.

—¿Es cierto que tuvo una relación amorosa con la difunta? —preguntó Goya.

—Inspector —dijo, deteniendo el paso—, con mucho gusto responderé a sus preguntas mañana, si así lo desea, pero ahora, como entenderá, no me siento nada dispuesto para un interrogatorio.

Ruiz sacó una tarjeta de su billetera y se la entregó a Goya.

—Llámeme en la mañana —le dijo—. Entonces responderé todas las preguntas que quiera.

Goya recibió la tarjeta, después vio al actor retirarse. Al regresar, pidió a uno de los oficiales que lo mantuvieran vigilado porque era un sospechoso. Luego advirtió que Aneth y Catrina trataban de consolar y levantar a Luque, quien, de rodillas, lloraba sobre la tumba de Rosales. Le llamó la atención ver a la actriz en tacones, en plena lluvia. Luque se incorporó con la ayuda de ambas. Con los tacones, González se veía más alta que Castillo. También le pareció verla un poco más corpulenta. No era más gorda que su compañera. Tampoco era que tuviera más músculo o más cuerpo. Aunque Aneth nunca revelaba mucho, podía ver que tenía un cuerpo en perfecta forma y condición física, muy atlética. Quizá fuera la espalda de la actriz, que sí era un poco más ancha que la de Castillo. Acaso fuera que su constitución ósea fuera más robusta. En todo caso, Goya tuvo que hacer un esfuerzo para dejar de mirarla.

Tras incorporarse junto a su compañera, el orden se instaló de nuevo y el acto retomó su curso. El cura terminó de decir las palabras y el ataúd fue descendiendo en la fosa. Las flores empezaron a llover sobre él. Se escuchaban sollozos y suspiros. Luego, unos empleados empezaron a echar tierra sobre el ataúd y, poco a poco, la fosa se fue llenando hasta quedar completamente tapada. El acto llegaba a su fin. Paula Rosales yacía bajo tierra. Los asistentes empezaron a retirarse, algunos en grupo, otros de manera individual, hasta que solo quedaron Nina, Antonio Luque y los inspectores. La actriz fue la primera en retirarse. Luego, Goya también partió, pero Aneth advirtió que se iba en una dirección distinta a la de su automóvil. Ella se despidió de Luque, quien permaneció viendo la lápida, y fue tras Goya.

La llovizna se había vuelto a asentar. La luz de la tarde comenzaba a desaparecer. Los postes de luz del cementerio se encendían. Poco a poco, la noche se iba instaurando. Goya caminaba con calma y Aneth se mantuvo a distancia mientras lo seguía. Pensó que debía respetar el espacio que él mismo se había procurado. Después de andar unos minutos, quedó frente a una lápida. Cuando alcanzó a leer el nombre inscrito en la piedra, también se detuvo, guardando una distancia prudente con Goya. La tumba era la de un tal Marcelo Pérez, el difunto compañero de Goya. El inspector permanecía mudo, observando la piedra.

—Dentro de poco —dijo Goya después de un silencio que a Aneth le pareció una eternidad— se cumplirá otro año de su fallecimiento.

—¿Es por eso por lo que ha estado alterado? —preguntó Castillo.

Goya parecía asentir, pero también temblar. Aunque trataba de controlarse, de aparentar.

—También me... se me acabó la naloxona —dijo, finalmente, con mucha dificultad.

—Mierda... —susurró Castillo.

Permanecieron un momento más en el lugar, sin volver a hablar. Luego regresaron al auto, en silencio. Antes de subirse, Goya le pidió a su compañera que manejara, que si quería podía dejarlo en su casa y llevarse el auto. Cuando ella lo miró, para saber si hablaba en serio, lo encontró más pálido que de costumbre. Entonces se dio cuenta de que los síntomas de abstinencia comenzaban a afectar intensamente a Goya. En sus días de patrullera, aprendió a reconocer a los yonquis a través del naloxona, con la cual controlaban los efectos de abstinencia. Claro, eran yonquis con mucho dinero. Si al registrarlos encontraba esas pastillas, entonces sabía que en algún lugar hallaría algún opiáceo. Casi siempre era heroína, claro.

Al entrar en el auto, Aneth comenzó a registrar el saco de Goya, quien se acurrucaba en el asiento del copiloto, tratando de envolverse en sus propios brazos para abrigarse. Temblaba y sudaba frío. Sacó un recipiente vacío de naloxona, pero no era el que buscaba. Después de un momento, sacó otro recipiente vacío. Era de morfina. Ese era el monstruo con el que ahora luchaba Goya. Aneth encendió de inmediato el auto, sin saber con exactitud lo que haría, y salió del cementerio. De vez en cuando, Goya sufría espasmos y gemía de dolor. Murmuraba cosas que no se entendían bien. A veces creía escucharlo decir Pérez, Silvia, Laura. Aunque se compadecía de su estado, en ese momento no había nadie a quien Aneth detestara más que al jefe Goya. Ser borracho es una cosa, pero esto. Sabía que verlo tomar pastillas tan frecuentemente no significaba nada bueno. Pero no a ese nivel. Ahora se recrimina su ingenuidad. ¿Qué pastillas se pueden tomar tan seguido y tener buenos resultados?

Mientras trata de controlar su velocidad por la autopista, piensa en cómo puede solucionar aquello. Pero no se le ocurre nada. Sabe que necesita a Goya para la investigación, así sea a media máquina. No puede llevarlo a emergencias. Tendrían que internarlo por días y había mucho trabajo que hacer. No, primero debe dejarlo en su casa, como le ha pedido. Entonces aumenta un poco la velocidad y se dirige al Centro. Una vez allí, conduce al edificio de Goya y suspira aliviada cuando ve que hay espacio para dejar el auto al frente. Se demora en hacer que el hombre se incorpore. La consciencia de este va y vuelve, como un péndulo delirante. Mientras subían las escaleras, Aneth pensó que no podría lograrlo, que se le escurriría y caería por las escaleras como un cubo de basura. Y allí sí que tendría un verdadero problema. Sin embargo, con un esfuerzo que le pareció titánico, logró llevarlo hasta su cama, donde cayó con él, exhausta. El hombre asumía una posición fetal y trataba de cubrirse con lo que sus manos pudieran tomar. Ella yacía bocarriba, mirando un techo de pintura agrietada, recuperando fuerzas. La mano del jefe Goya pasó, tosca, por su cara, buscando una cobija. Y ella la apartó con exasperación, dándole manotazos, mientras él murmuraba algo inentendible. Entonces, Aneth se levantó, salió del apartamento, bajó las escaleras y abandonó el edificio, adentrándose a pie por las calles del Centro. Alguien llama a su celular. Es Vicente. «Pero qué mal momento», piensa.

Una mezcla de ansiedad y exasperación evitaban que pudiera buscar más soluciones a la situación en la que se encontraba. Estaba ofuscada y la opción, que ahora pretendía seguir, había emergido por sí sola, como una fruta madura que se desprende solitaria. En parte no podía creer lo que estaba a punto de realizar, pero hacía todo lo posible para evitar pensar en ello.

Se alejó unas cuadras del Centro, hacia una zona de edificios sin fachada, la mayoría abandonados. La Policía había delimitado la zona con piquetes de seguridad, cuyo perímetro Aneth suponía que estaba alrededor de las diez cuadras. Había puestos policiales en ciertos puntos a lo largo del perímetro y por lo general se encontraban oficiales custodiando los piquetes. Lo llamaban La Paila, el pequeño corazón caótico de la capital, un lugar del cual se ausentaban la ley y el orden. El lugar a donde se intentaba confinar a todos los habitantes de la calle, los drogadictos, criminales de poca monta, personajes oscuros, marginales, cuyas vidas eran inimaginables para cualquier otro habitante normal de la capital. Un lugar que apenas era mencionado y que para los más acomodados adquiría una dimensión mítica e infernal.

Al acercarse al piquete, unos oficiales salen a su encuentro. Ella les muestra su identificación y menciona algo sobre una investigación en curso. Estos preguntan si desea que la escolten, que si entra sola no le pueden garantizar su seguridad. Ella les replica que es mejor que entre sola, que se sabe defender y que gracias por la ayuda. En verdad, está suma-mente nerviosa. Al cruzar, palpa su arma con una mano y desabrocha el estuche. A medida que se adentra, un olor fétido inunda su nariz. Hay gente tirada a lo largo de las aceras, algunos sobre colchones y sofás viejos, rescatados de algún basurero, algunos se drogan, otros parecen estar ya bajo los efectos de algún estupefaciente, otros duermen. En una esquina, ve a un grupo de personas fumando en círculo. No parecen del lugar. Al advertir su presencia, abren el círculo y la observan. Uno de ellos se acerca un poco.

—¿Qué busca, princesa?

—Morfina o naloxona o buprenorfina...

—Uy, pero la muñeca busca unos jugueticos bien especia-les. ¿No quiere ganja, cristales, coca?

—No, solo me interesan esos.

—Déjeme hacer una llamada.

El hombre volvió con los otros y le pidió el celular a uno. Se alejó del círculo, marcó y comenzó a hablar. Daba un saludo efusivo, pero más tarde amenazaba, casi gritando. Por último reía a carcajadas para luego colgar.

—Muñeca, no tengo morfina ni los otros. Pero tengo oxicodona. Se lo tengo aquí en segundos.

Aneth se queda pensando unos instantes. No era lo que buscaba. En realidad, solo buscaba naloxona. Luego podía ser la morfina solamente. Pero oxicodona... Eso sí que resolvería el problema por el momento, pero podría llevar a Goya a otro nivel de adicción con facilidad. Qué carajo, ya se había tomado la molestia de llegar hasta allí.

—Bien. Oxicodona será.

En solo instantes llegó un niño corriendo y le entregó un pequeño cilindro de plástico al hombre con quien Aneth había negociado. El hombre le hizo una seña a otro del círculo, quien miró en un bolso y acto seguido hizo gestos negativos. El niño, molesto, parecía quejarse con el *dealer*, que ahora se acercaba a ella. Esta, al escuchar el precio de la transacción, no pudo ocultar un gesto de sorpresa. Miró en su billetera y por fortuna le quedaba algo de efectivo. Todavía le faltaba algo, pero le dio todo el dinero al hombre, quien volvió con los otros. El niño, que había observado el cierre del negocio, ahora se acercaba a ella.

—Madre —le decía—, tengo hambre, ¿no tendrá aunque sea unas monedas que me regale?

—Le di todo a ese hombre —respondió Aneth, el niño parecía desolado—. Pero si realmente tienes hambre, te puedo invitar una hamburguesa.

El niño aceptó la propuesta.

Al salir de La Paila, los oficiales parecieron querer detener al niño, pero Aneth les dijo que estaba bien, que iba con ella. Entonces, los dos caminaron hacia el Centro. Llegando, había una hamburguesería frente a una pequeña plaza con bancos de piedra. Aneth le dijo que la esperara allí, sentado. Entonces entró a la tienda y pidió una hamburguesa en combo, con papas a la francesa y una gaseosa grande. Minutos después, salió con el pedido y se sentó al lado del niño.

—¿No era que no tenía plata? —preguntó el pequeño mientras abría el papel de la hamburguesa.

—No tenía efectivo... Los billetes.

El niño dio un gran mordisco, con mucho gusto, con algo de ansiedad también.

—¿Usó tarjeta? —dijo luego con la boca llena.

—Sí —respondió ella, sonriendo—. Usé mi tarjeta de débito.

El niño entonces dio un sorbo a la gaseosa y luego tomó un puñado de papas y se las comió.

—¿Y no tiene de crédito? —dijo luego.

—Hace poco me dieron una. Pero casi no la uso. ¿Cómo sabes de las tarjetas?

—Ah, porque a veces me pagan usándolas. A veces usan las de crédito para pagar a los que me dan trabajo. Y a veces usan la otra para sacar dinero y dármelo a mí.

El niño volvió a dar otro mordisco a la hamburguesa.

—¿Cómo te llamas? —preguntó Aneth.

—Me dicen Chapulín.

—Mucho gusto, Chapulín. Yo me llamo Aneth.

—Hola, Aneth.

Él continuó comiendo y ella lo observó un momento.

—¿Qué hay de tus padres, Chapulín? —le preguntó cuando se terminó la hamburguesa.

—Soy huérfano —respondió, que ahora comía las papas solamente.

—¿Y desde hace cuánto estás en la calle?

—Esta vez, como un año.

—¿Esta vez?

—Por un tiempo estoy en un orfanato. Luego me escapo. Luego vuelvo. Esta vez ha sido la que me he escapado por más tiempo.

—¿Y cuántos años tienes?

—Diez —dijo él, terminando las papas.

—¿Cómo se llama el orfanato?

—Familia Casa Hogar —dijo el niño, dando los últimos sorbos a la gaseosa.

—¿Y por qué te escapas?

—A veces porque me aburro. Una vez nos llevaron a una fiesta rara de unos señores ricachones. Esa fue la primera vez que me escapé. Pero nunca más nos invitaron.

—¿Fiesta rara?

—¡Gracias por la comida! —gritó el niño y salió corriendo.

—¡Oye! ¡Espera! —gritó Aneth, pero fue inútil.

De repente recordó al jefe Goya, gritó «¡Mierda!» y también salió corriendo, pero en dirección contraria.

Al abrir la puerta de su apartamento, el hombre se encontraba en el suelo, en el umbral de su habitación. Estaba empapado en sudor, pero parecía dormido. Ella tomó un vaso y lo llenó con agua. Colocó el vaso en el suelo, movió al hombre bocarriba y se puso junto a su cabeza, inclinándola y reposándola luego en su regazo. Sacó las pastillas y las colocó en el suelo también. Empezó entonces a darle palmadas en los cachetes para tratar de despertarlo. El hombre comenzó a abrir los ojos y a murmurar. No estaba del todo allí, pero era mejor que nada. Entonces trató de darle un poco de agua. Logró hacerlo tomar un poco. Luego le puso una pastilla de oxicodona en la boca, dándole un poco más de agua. Al parecer, había logrado que se la tragara. Por último, lo arrastró de los pies hasta su colchón y lo dejó allí.

Exhausta, Aneth salió de la habitación y se dejó caer en el sofá de la sala. En solo segundos se quedó dormida.

13

Los ojos de Goya se fueron abriendo, casi llevados por una voluntad propia. Podía ver parte del techo de su cuarto y parte del de su sala. En la calle se escuchaba por un megáfono la voz de un vendedor que ofrecía frutas y sus precios por kilo a viva voz. Su cabeza se había quedado fuera del colchón otra vez, pero extrañamente no le dolía tanto el cuello. Tenía la sensación de haber dormido por mil años y cargaba con un letargo profundo. En ese momento, no podía recordar cómo había llegado hasta su colchón ni lo que estuvo haciendo antes. Clásico. Pero se sentía bien.

Logró levantarse con cierta dificultad. La somnolencia que sentía lo hacía torpe al moverse. Sin embargo, logró cargar consigo hasta el umbral de la puerta de su habitación. Dio un vistazo a la sala. Una mujer dormía en el sofá. En un primer momento, no supo quién era ni cómo había llegado hasta allí. Se preguntó si habría estado de bar en bar y, logrando traer una chica hasta su apartamento. Pero ni bien había pasado un segundo en aquellas cavilaciones, de súbito recordó que esa misma mujer fue a verlo hace apenas unos días y que investigaba un asesinato con ella. Sucesivamente vino la imagen de una casa muy grande que le pareció ridícula, en una zona lujosa de la ciudad; luego vio a una mujer alta en licras, con tremendas piernas, atractiva; luego una lluvia incesante; luego la tumba de su compañero, y por último, un nombre. Aneth... Aneth Castillo, la inspectora Aneth Castillo. Entonces, apoyado de lado en el marco de la entrada de su habitación, bajó la cabeza y se llevó una mano a la frente, soltó un hondo suspiro y sintió una pereza milenaria, una pereza que lo llevó a desear la muerte, pero no por razones dramáticas o existenciales, sino por mera flojera, una flojera antigua, y pura, y egoísta, porque todavía había personas que interrogar, lugares a los que ir, máscaras que ponerse. Y sabía que ya no tenía jarabes con codeína, ni pastillas de morfina ni de naloxona. No sabía cómo Aneth lo había sacado de su episodio de abstinencia, ni cómo era que no se sentía morir. Pero su bienestar actual no podía durar mucho y tendría que hacerse con más naloxona. Al menos, no era algo de lo que tenía que preocuparse en ese preciso instante.

Se acercó al comedor y tomó asiento. Presionó *play* en la contestadora y escuchó el mensaje de su hija. Luego presionó tres para guardarlo y pensó que algo tenía que cambiar, que debía intentarlo una vez más, aunque sea por última vez. Pero después se dijo en silencio que era un viejo ridículo por haber tenido, por un breve instante, pensamientos optimistas. Luego solo se sintió confundido y con ganas de drogarse. Así que, para distraerse, se dirigió a la refrigeradora. Solo tenía tres huevos. Los sacó. Sacó dos vasos y los llenó con agua. Bebió de golpe toda el agua de uno de los vasos y llevó el otro para su compañera. Lo dejó en una mesa que había junto a su cabeza. Cuando colocó el vaso, advirtió un cilindro de plástico con pastillas. Lo miró extrañado y alcanzó a leer «oxicodona» en la etiqueta blanca. Sus ojos se iluminaron y estiró la mano para tomar el recipiente.

—¡Eh, eh! —le gritó Castillo, cogiéndole la mano—. No, señor. Esta vez yo me quedo con estas.

La mujer tomó las pastillas y se las guardó en el bolsillo interno del saco. Luego se acomodó en el sofá, dándole la espalda. Goya soltaba otro suspiro, para después dar unos pasos y volver a la cocina. Con magistral habilidad y extraña concentración preparó huevos revueltos. Una vez servidos miró a la sala. Notó que Castillo ya estaba sentada en el sofá y lo veía impresionada.

—Vaya... —dijo, burlona—. Veo que la oxicodona hace milagros.

—Y si la prueba —dijo él con lentitud—, le va a gustar más.

Luego sacó dos platos y dos pares de cubiertos. Los llevó a la mesa y se sentó. Una vez acomodado en la silla, miró a Castillo.

—¿Y bien? —dijo—. ¿Va a comer?

Iván Ruiz se encontraba en unos estudios de grabación cuando lo contactaron. Se demoraron un poco en llegar porque Aneth iba conduciendo y no conocía tan bien la ciudad. Por otro lado, el jefe Goya, en ese extraño letargo en el que se encontraba, tampoco sabía muy bien cómo dirigirla. Una vez allí, tuvieron que esperar un rato a que terminara de rodar una escena. Iba a aparecer como actor invitado en el próximo capítulo de la telenovela de mayor audiencia en el país, *Los gemelos*. No obstante, la espera fue de todo, menos aburrida, ya que aprovecharon el bufé para compensar el escueto desayuno en casa de Goya. Este último, parecía suplir su carencia de opio con comida y café, con el respectivo toque de brandi. Cuando el actor por fin se desocupó, les pidió entrevistarse al aire libre, pues llevaba horas en el galpón, rodando las escenas donde aparecía.

—¿Nos podría relatar —comenzó Goya con un tono inusualmente pausado— cómo conoció a Paula Rosales?

—Pues, obviamente, ya sabíamos el uno del otro por la naturaleza de nuestro trabajo. Pero no fue sino hasta el montaje de *La máscara transparente* que nos conocimos en persona.

—¿Cuándo comenzó ese montaje? —preguntó Castillo.

—Hace alrededor de un año —respondió él.

—Pero usted no forma parte del grupo Prosopos —insistió ella.

—No. Soy un actor invitado para la obra. Nathan dice que escribió ese personaje especialmente para mí. Eso dice él, al menos.

—¿No le cree? —preguntó Goya.

—Le creo. Pero no quiero parecer arrogante. Por lo demás, no suelo adherirme a grupos teatrales. Soy mi propio agente y me gusta trabajar en varias cosas al mismo tiempo.

—¿Y el personaje de Rosales? —retomó Castillo—. ¿Smith lo escribió para ella?

—Si quiere saberlo realmente, debería preguntarle a él mismo. Pero, según creo haber entendido de mis conversaciones con él, toda esa pieza fue escrita para Paula.

—¿Qué quiere decir? —indagó Castillo.

—Pues que, al menos hasta cierto punto, la obra está inspirada en Paula. Nathan fue escribiéndola durante años, desde que ella empezó a trabajar en su grupo. A mi manera de ver, Nathan quería hacer con esa obra lo que un pintor vanguardista hace con un retrato.

—¿Puede explicarse un poco más? —preguntó Goya.

—Por supuesto —respondió Ruiz, quien parecía hallar mucho placer en escucharse hablar—. Un pintor tradicional, realista, que busca hacer imitaciones de la realidad, se preocupa porque el retrato parezca una fotografía de la persona retratada. Esto, por supuesto, es mi observación personal. Pero pareciera que los pintores empiezan a plantearse el problema de cómo representar el mundo interno, subjetivo, de una persona. Entonces encontramos retratos como los de Picasso, que ya no le interesa retratar cómo es la persona «por afuera», por decirlo de alguna manera, sino por dentro, o, en todo caso, como él, Picasso, la percibe. Eso era lo que quería hacer Nathan con Paula. Él, como muchos de nosotros, tenía una fascinación absoluta por Paula, por el nivel de su arte y también por su persona. Y, ahora que lo pienso, gran parte de esta fascinación se debía a que ella siempre nos pareció un gran misterio, como si una parte de ella siempre nos hubiera evadido, como si solo la hubiéramos podido sentir por breves momentos, como una brisa. Creo que *La máscara transparente* fue el intento de Nathan por capturar su esencia elusiva y misteriosa.

—¿Cuándo empezó a tener una relación amorosa con ella? —dijo Goya, como si solo hubiera estado esperando a que Ruiz terminara de hablar.

El actor carraspeó y pareció incomodarse por un momento, como si la pregunta lo hubiera tomado por sorpresa, totalmente desprevenido.

—Señor Ruiz —intervino Castillo—, entenderá que estamos realizando una investigación y ya hemos interrogado a otras personas. Sabemos que Antonio Luque los descubrió juntos, en la cama. Tenía que saber que le preguntaríamos sobre esto.

—Bien —dijo el actor con resignación—. Hace aproximadamente seis meses. En la obra, nuestros personajes también tienen una relación íntima. En el mundo de la actuación esto es más o menos frecuente. A veces resulta difícil dejar los sentimientos en el escenario.

—¿Tenía sentimientos fuertes por ella? —preguntó Goya—. ¿La amaba?

—No veo cómo eso puede tener algo que ver con su investigación.

—Por favor, responda —dijo Castillo.

El actor parecía contrariado, vulnerable.

—Sí —respondió al fin—. La amaba. Me parecía inevitable. ¿Cómo no?

—¿Hubiera deseado que se separara de Luque? —preguntó Goya.

—No creí que eso pasaría.

—¿A qué se refiere? —intervino Castillo.

—Pues... Yo sí sentía amor por Paula. Pero ella no me amaba. Al menos, nunca me lo dijo y no actuaba como si me amara. Por eso no creo que nuestra relación fuese amorosa en realidad. Tampoco creo que amara a Luque.

—¿Cómo puede saberlo? —preguntó Castillo.

—Es cierto, no puedo, es una impresión. Cuando Paula hablaba sobre el amor, lo trataba como una cosa perdida y siempre mencionaba a un hombre del pasado. Pero no decía su nombre, nunca me lo dijo y nunca supe de quién hablaba. Y dudo que fuera Luque, con quien sí tenía una relación que además era pública. De seguro sentía un gran afecto por él, le tenía cariño, le importaba. Después de todo, Luque, como mánager, hizo mucho por ella. Pero amor, lo que se dice amor, dudo que lo llegara a amar.

—¿Qué ocurrió cuando él los descubrió?

—Fue un momento terrible, como se imaginarán. El hombre estaba completamente iracundo y, por alguna razón, Paula también se puso rabiosa. Nos gritamos mucho.

—¿Él trató de agredirla a ella o a usted? —insistió Castillo.

—En un primer momento, él trató de tomarla por el brazo, pero yo no lo permití. Después de eso no volvió a ser una amenaza física.

—¿Pero sí una amenaza verbal?

—Pues, como les digo, los ánimos estaban muy caldeados y todos tuvimos una fuerte discusión. Sin embargo, recuerdo que, antes de que él se retirara, completamente furioso, estoy casi seguro de que dijo «espero verte muerta».

—¿Casi seguro? —preguntó otra vez Castillo.

—Fue algo así. Ahora no recuerdo con exactitud. Pudo haber sido «ojalá te mueras».

—¿Cuándo fue la última vez que vio a Paula? —intervino Goya.

—Ensayábamos las escenas finales de la obra y probábamos algunas ideas que ella tenía. Luego ella se fue a su camerino.

—¿Qué se encontraba usted haciendo cuando se descubrió el cuerpo de la actriz?

—Sé que en algún momento de la noche estuve hablando con Nathan sobre la obra. Recuerdo que luego llegó Nina, nos saludó y siguió a los camerinos. Yo me retiré de la sala y fui al cafetín a comer algo.

—¿Qué pidió? —preguntó Castillo.

—Un sándwich y una malteada. Ni siquiera había empezado a comer cuando escuché a Nina gritando, fuera de sí. Me acerqué para calmarla. No podía creer lo que decía. Nathan también apareció. Entramos en el camerino de Paula y allí estaba...

Ruiz suspiró y su mirada se perdió por unos momentos, ensimismado.

—Señor Ruiz, una última pregunta —dijo luego Castillo.

—Sí, por supuesto.

—¿De qué trata *La máscara transparente*?

—¿Ha visto la película *Persona* de Ingmar Bergman?

Los dos inspectores respondieron negativamente.

—Qué lástima —dijo Ruiz—. Bueno... *La máscara transparente* trata sobre una actriz mundialmente reconocida por su talento versátil para la actuación, capaz de interpretar el papel que sea de manera impecable, pero que, por ese mismo talento, se va disociando de sí misma y perdiendo el sentido de la realidad. No sabe si lo que vive, lo que desea, lo que teme, es de ella realmente o de uno de sus personajes.

—¿Cómo termina la obra? —preguntó Goya.

—Pues... En la versión de Nathan, la actriz acaba sumida en la locura y, por último, en un estado catatónico.

—¿Hay otra versión?

—Bueno... Paula quería hacer unas modificaciones en la trama, incluyendo el final.

—¿Y qué ocurría en esa versión? —preguntó Castillo.

El semblante del actor cambió. De repente se mostró inquieto, como si le acabaran de dar una terrible noticia.

—En la versión de Paula... —dijo— la actriz muere estrangulada.

—¿Y esa era la escena —preguntó Goya— que ensayaban la última vez que estuvo con ella?

—Sí —respondió el actor, agitado—. De hecho, terminamos disgustados. Ella quería que la estrangulara más fuerte, quería que la estrangulara hasta dejarla inconsciente, quería que fuera lo más real posible.

—¿Y por qué ese cambio? —preguntó Castillo—. ¿Tiene alguna idea?

—Ella decía que el final de Nathan era casi caricaturesco y que hacía parecer al personaje muy débil. Decía que alguien que en verdad tuviera esa crisis solo podría hallar algo de realidad, primero, en el dolor. Pero que esto sería, a la larga, insuficiente. La muerte sería el único alivio para semejante tormento.

—No entiendo —dijo Goya—. Entonces, ¿quién la estrangula? ¿Es uno de sus personajes? ¿O es otra persona?

—Uno de sus personajes. Es decir, técnicamente se suicida.

—¿Y quién es? ¿O qué característica tiene?

—Es mi personaje. Es la versión masculina de la actriz, es quien la actriz cree que sería si fuese un hombre.

—¿Cómo eran sus relaciones íntimas? —preguntó de repente Goya.

—¿Es en serio? —reaccionó Ruiz, ofendido.

—Sabemos que tiene antecedentes de violencia, señor Ruiz —dijo Castillo.

El actor suspiró, moviendo la cabeza, como si no creyera lo que ocurría.

—Paula... Ella... Sí, le gustaba que hubiera dolor de por medio en el sexo.

—¿Le pedía que la estrangulara ahí también? —preguntó Goya.

—Sí... Pero también que la amarrara o que le pegara con una vara... En los glúteos. A veces me pedía que la abofeteara. Pero casi siempre era un juego previo al acto...

—¿Cómo le hacían sentir estas peticiones?

—Escuchen... No estoy orgulloso de mis antecedentes. Estaba borracho y mi ex tiene una capacidad increíble para sacarme de mis casillas...

—Le creo... —dijo Goya.

—Estuve encerrado seis meses por eso. Afortunadamente no fue en una prisión de criminales de verdad. Paula me empezó a pedir estas cosas cuando se enteró de mis antecedentes. No me sentí cómodo, si eso es lo que quieren saber. Pero ella era muy... persuasiva. Eso no significa que sea un asesino. Sería incapaz de matar a alguien. Se los juro.

15

—Entonces, ¿Antonio Luque? —dijo Sotomayor tras su escritorio.

—Eso cree la compañera —respondió Goya, que nunca dejaba de tener cara de sueño.

—Por ahora lo creo —replicó Aneth mientras se sentaba —, es el principal sospechoso. Nueva información ha surgido. También está eso.

El comandante permaneció en silencio un instante, ponderando posibilidades. La lluvia fuerte había vuelto y golpeaba contra las ventanas.

—¿Entonces no creen que Ruiz esté involucrado? —insistía el comandante.

—No me queda del todo claro. Pero yo lo descartaría a él y a Luque —dijo Goya.

—Hay elementos que parecieran incriminarlo. Las prácticas sexuales con Rosales, el hecho de que en la obra terminara con él estrangulándola, al menos en la versión de ella.

—¿De ella?, ¿de Rosales? —preguntó Sotomayor.

—Sí —afirmó Castillo—, ella quería hacer modificaciones

en la obra. Sabemos que una de esas modificaciones es la que acabo de mencionar.

—Tal parece que la Diva se las traía —comentó Goya—. Según Ruiz, ella quería que la estrangulación pareciera lo más real posible y le pedía que lo hiciera de verdad, hasta dejarla inconsciente. Al parecer, al actor no le gustó el juego y tuvieron algún tipo de roce.

—No entiendo cómo descartan tan fácil a Ruiz, entonces —concluyó Sotomayor—, dados sus antecedentes.

—Precisamente —intervino Castillo—. No hay antecedentes, así, en plural. Hay un hecho aislado, bajo los efectos del alcohol. No hay en realidad un patrón. O, al menos, no hay pruebas de ello.

—¿Qué opinas, Goya? —preguntó el comandante.

—Creo que ese es un argumento válido. Por eso descartaría a Ruiz —le respondió.

—Pero —dijo Castillo— quizá sea necesario volver a interrogar a Smith sobre los cambios que Rosales quería hacer a la obra. Resulta muy inquietante que la forma como moría su personaje fue prácticamente la misma como ella murió. Por otro lado, Ruiz comentó algo sobre un hombre en el pasado de Rosales, tal parece que ella estaba perdidamente enamorada de él. Quizá pueda haber alguna relación o, por lo menos, información valiosa.

El teléfono de la oficina de Sotomayor comenzó a sonar. A los inspectores les pareció que debía de ser alguien importante que preguntaba justamente por el caso. Al advertir su curiosidad, Sotomayor los despachó con un gesto. Los dos se levantaron y salieron de la oficina, acordando que irían a servirse un poco de café. Se acercaron entonces a la cafetera, Aneth tomó dos vasos de cartón y sirvió la bebida caliente en ellos. Pasó uno de los vasos a Goya, que lo bebía sin azúcar, y ella cogió dos sobres para el suyo. Goya daba los primeros sorbos mientras ella revolvía el azúcar en su vaso.

—¿Entonces te gustó el actorcito? —le preguntó Goya.

—Es un hombre atractivo. Pero no lo descarto por eso. Tú escuchaste lo que dijo de Luque, cuando los encontró, lo que Luque le dijo a Rosales. No importa si fue «ojalá mueras» o «espero verte muerta», la intención es la misma. Y si realmente no lo amaba, como afirma Ruiz, quizá él lo sabía, lo cual refuerza el móvil. Tienes que aceptar que el tipo estaba, o está, obsesionado con la Diva.

—Tiene un interés muy fuera de lo común en ella, es verdad.

—Además... ¿Tú qué hablas? Te babeas por Nina — replicó Castillo.

En ese momento, empapada por la lluvia, aparecía por la puerta de las oficinas Catrina González. Parecía un poco alarmada. Los inspectores fueron incapaces de reaccionar por un instante. Se escuchó un portazo desde la oficina de Sotomayor, quien salía a paso rápido.

—Señorita González —dijo el comandante mientras se aproximaba a ella—, por favor, tome asiento...

El comandante acercaba una silla con un brazo y con el otro cogía el brazo de la actriz, quien parecía cojear de un pie.

—¿Se encuentra bien? —preguntó Sotomayor, a quien ahora se unían Goya y Castillo.

—La lluvia está terrible —respondió González, sentándose—. Me doblé el pie en el camino. Pero estoy bien.

—¿Vino corriendo? —preguntó Goya.

—Sí... —respondió ella—. Me encontraba cerca y recordé algo que quizá pudiera ser útil a la investigación.

Goya y Sotomayor observaron que venía en tacones y falda. Se distrajeron un momento por culpa de sus piernas.

—Díganos —dijo Castillo, con brusquedad, llamando la

atención de Goya y Sotomayor—. ¿Qué fue lo que recordó que le pareció tan importante?

—Bien... El día anterior a la muerte de Pau hubo un incidente en su camerino.

—¿Qué tipo de incidente? —preguntó Goya con sorpresa en su tono.

—Alguien, una mujer, se metió en el camerino de Paula para agredirla.

—¿Agredirla físicamente? —indagó Castillo.

—Sí, bueno, verbalmente también. La mujer no dejaba de insultar a Paula y de decirle cómo le haría pagar.

—¿Usted misma fue testigo de esto? —preguntó Sotomayor.

—Yo misma fui quien las tuvo que separar —enfatizó González—. Esta mujer estaba tratando de atacar a Pau, y ella, de defenderse. Cuando entré se estaban jalando los pelos, forcejeando... Fue horrible.

—¿Sabe quién es esta mujer? —preguntó Castillo.

—No recuerdo su nombre. Pero sé que es la esposa de un hombre llamado Federico Casas.

—¿Sabe quién es este hombre —intervino Goya— y por qué su esposa trataba de agredir a Rosales?

—Tengo una buena idea, al menos —comenzó a responder Catrina—. Federico es un viejo amor de Paula. Y no cualquier amor, él fue el amor de su vida, pero eso fue hace varios años... Creo que ella nunca lo superó.

—¿O sea que estaba teniendo una aventura con ese hombre? —preguntó Goya de nuevo.

—Algo así tendría que ser —respondió ella— para que esa mujer quisiera agredirla de tal forma. Pero no lo sé con certeza. Cuando le pregunté a Pau al respecto, ella no me quiso responder nada, no quería tocar el tema. Se encontraba muy irritada por lo que acababa de pasar con la mujer.

—¿Y qué cosas le decía a Rosales? —preguntó esta vez Castillo.

—Le decía que era una rompehogares, que era una zorra. Y recuerdo muy bien que le dijo que si se volvía a acercar a él, a Federico, ella misma la haría pagar con sus propias manos.

—¿Y qué aspecto tenía esta mujer?

—Estatura media —dijo Nina haciendo memoria—, piel bronceada, cabello ondulado, castaño, más oscuro que el mío, ojos oscuros también... Ah, tenía un pirsin muy menudo en la nariz, del lado derecho.

Los tres policías se quedaron en silencio un momento, procesando toda la información que Nina les suministraba.

—Hay otra cosa que quisiera saber, señorita González —dijo por último Goya.

—Claro, inspector. ¿Qué quiere saber?

—¿Por qué nos dice esto ahora? —replicó él—. ¿Por qué no mencionó nada de esto el día que la visitamos?

—Entiendo... —respondió ella cabizbaja—. No lo sé, inspector, lo siento. El día que me visitaron acababa de ocurrir todo. Al menos me encontraba todavía muy afectada, todavía lo estoy. Una parte de mí se negaba, a pesar de ser yo misma quien la encontró. Y en toda esa confusión había cosas que se me escapaban. Además, me pareció muy raro que no me contara lo de Federico. Hasta donde yo sabía, ellos tenían mucho tiempo sin estar en contacto.

—¿Federico Casas, dijo que se llamaba? —confirmaba Castillo.

—Sí. Correcto, cariño.

—¿Qué sabe de este señor? —continuó la inspectora—. ¿Dónde podríamos contactarlo?

—Es médico. Sé que tiene un consultorio en el Hospital General.

—¿Alguna otra información que quiera compartir? — preguntó esta vez Goya.

Nina se quedó pensando un momento.

—No —dijo al fin—. Es lo único que me faltaba decirles.

Sotomayor se ofreció entonces para acompañarla hasta abajo y pedirle un taxi, insistiéndole en que si recordaba alguna otra información no dudara en contactarlos. Goya y Castillo permanecían parados, terminando el café.

—¿La mujer de Casas? —preguntó Goya a Castillo—. ¿Qué piensas?

—Hay que interrogar a ese tal Federico y su mujer. Un móvil muy similar al de Luque, pero en este caso sí hay antecedentes más claros. Quizá Luque no sea el culpable después de todo.

—Federico Casas... —dijo Goya—. Debe ser el mismo que mencionó el actor Iván Ruiz.

—Debe serlo —afirmó Castillo—. Vamos. Tenemos trabajo que hacer.

16

GOYA Y CASTILLO tardaron unos minutos en ubicar al doctor Federico Casas en el directorio del Hospital General de Sancaré. Cuando dieron con su nombre, les impresionó descubrir que era neurólogo. Al llegar al consultorio, una mujer de presencia impecable los recibió preguntándoles si tenían cita con el doctor. Los inspectores respondieron que no, pero que les interesaba hablar con él sobre una investigación en curso.

La mujer tomó el teléfono para anunciar la visita de los inspectores y el propósito de la misma. Se vio obligada a repetir una vez más la información. Luego mencionó algo sobre alguien que aún no había llegado y, por último, contestó afirmativamente a lo que le preguntaban por el auricular. Al colgar, se dirigió a los inspectores, diciéndoles que el doctor los recibiría después de ver a la paciente con quien se encontraba en aquel momento. Sin embargo, recalcó que de pronto no podría dedicarles mucho tiempo, ya que tenía otra consulta luego. No obstante, por fortuna para ellos, el paciente todavía no llegaba.

Los inspectores se sentaron entonces a esperar. Con tedio, hojeaban las revistas que había en la sala de espera. La primera revista que Aneth tomó era una guía de programación televisiva. Apenas vio la portada, escogió otra. Era de National Geographic y se veía mucho más interesante. Sin embargo, mientras tomaba la revista, advirtió la imagen de Paula Rosales en la portada de la que se encontraba debajo. Era una revista ya pasada de fecha sobre eventos sociales. Dedicaban un artículo a la actriz, pero no se enfocaba en su carrera, sino en su labor social. Específicamente, hablaba sobre una fundación que había iniciado ella misma con la finalidad de crear albergues para niños huérfanos y niños de la calle. Su nombre era Familia Casa Hogar. Aneth recordó entonces al niño al que le invitó una hamburguesa.

—¿Jefe Goya? —dijo.

—¿Sí? —contestó él.

—Usted dijo que Rosales era huérfana, ¿cierto?

—Correcto.

Aneth observó a Goya hojeando una revista. Notó que temblaba.

—¿Y que de niña estuvo en un orfanato? —volvió a preguntar.

—Correcto.

—¿Recuerda el nombre?

—Familia —respondió—. Orfanato Familia, si mal no recuerdo.

—¿Cómo se siente? —preguntó ella luego.

—Pues... Creo que deberías darme aunque sea un cuarto.

Aneth sacó una pastilla del recipiente y la partió. Luego le dio a Goya el pedazo más pequeño.

—¿Qué hay con el orfanato? —preguntó él antes de tomar la pastilla.

Aneth le acercó la revista, mostrando la sección del artículo.

La puerta del consultorio se abrió y de allí salió una ancianita de aspecto alegre, que caminaba lento pero sin esfuerzo. La anciana se despedía de la secretaria para luego cruzar la puerta de la sala de espera. Los inspectores se levantaron y del consultorio salió un hombre de no más de treinta y cinco años, alto, de complexión robusta, muy blanco y con un bigote grueso, negro. Al verlos, su semblante era de absoluta sorpresa.

—¿Doctor Federico Casas? —dijo Goya.

—Buenas tardes, inspectores —respondió el doctor—. Por favor, pasen.

El hombre se puso a un lado de la puerta y los invitó a pasar. Luego, cuando Goya y Castillo entraron, él los siguió, cerrando la puerta tras de sí e invitándolos a sentarse. Finalmente, pasó tras su escritorio y se sentó. Sobre las paredes colgaban diplomas y reconocimientos a su labor. Sobre el escritorio se veían fotografías de un niño y una niña pequeños, y también imágenes de una mujer de hermoso rostro, cabello marrón castaño, pirsin en la nariz y seria expresión.

—Inspectores —comenzó diciendo el doctor—, para serles sincero, su visita me toma por sorpresa, por aquí nunca ha pasado la policía. ¿Díganme en qué puedo ayudarlos?

—Doctor Casas —dijo Castillo—, estamos aquí a propósito de la muerte de la actriz Paula Rosales.

El semblante del doctor se ablandó y pareció apagarse un poco.

—¿Paula Rosales?, ¿la actriz? —preguntó consternado.

—Paula Rosales fue encontrada muerta en su camerino del Teatro Imperial hace tres días. ¿No lo sabía? La noticia ha estado circulando por todos lados.

—No lo sabía, inspectores... —dijo el doctor, quien miraba

por la ventana—. Yo realmente no veo televisión ni escucho radio. Pero ¿cómo murió?

—Por razones de seguridad, los medios manejan su muerte como un suicidio, aunque todo indica que fue un asesinato.

—Dios santo... —dijo Casas, llevándose la mano a la frente.

—Tenemos entendido —dijo Goya— que usted la conocía. ¿Es cierto?

El doctor calló un momento antes de responder. Asentía y daba la impresión de estar recolectando toda la información que iba a necesitar.

—Sí, nos conocimos hace varios años —contestó el doctor, algo ausente—. Disculpen, inspectores, realmente no me esperaba esta noticia. Es muy lamentable...

—Debido a que su asesinato todavía no se ha hecho oficial —dijo Castillo—, le agradecemos confidencialidad al respecto.

—Claro —dijo el doctor, consternado—. No sé qué decir ni cómo les podría ayudar, pero con mucho gusto responderé lo que quieran.

—Doctor —dijo Goya—, ¿cómo conoció a Paula Rosales?

—Fue en la universidad. Ella estaba a punto de graduarse en la carrera de Artes Escénicas y yo me encontraba haciendo un posgrado en la Facultad de Medicina.

—¿Pero cómo fue que se encontraron ustedes —insistió Goya— entre otros miles de estudiantes?

—Claro. Pues fui a ver una obra del grupo teatral de su facultad. Ella aparecía. Era una de esas obras en las que se busca involucrar a la audiencia. En algún momento durante la obra, ella me empezó a interpelar directamente y yo, algo ingenuo, llegué a un punto en que me pareció que todo era en serio.

—¿Cuál era el contexto? —preguntó Castillo—. ¿Qué pasaba o qué le decía ella?

—Ya casi no recuerdo de qué iba la obra —respondió Casas—, había mucho de improvisación y absurdo. Lo que recuerdo es, precisamente, el momento cuando ella, o su personaje, lloraba y lamentaba muchísimo la pérdida de su amado. Le preguntaba por qué se había ido, por qué la había dejado... Parecía tan desconsolada.

—¿Y se dirigía a usted durante todo ese lamento?

—Exacto. Poco a poco, fui sintiendo como si una esfera nos envolviera y nos separara de la realidad, creando su propio universo dentro de sí, con su propia historia y sus propias leyes. El dolor de este personaje me pareció tan real y me conmovió a tal punto que yo mismo empezaba a derramar lágrimas y a decirle que todo iba a estar bien. Recuerdo entonces que ella, o su personaje, me miró con unos ojos... como si hubiera encontrado la redención que buscaba. Reflejaban una absoluta dicha.

—¿Y qué pasó después? —preguntó Goya.

—Hubo gente que empezó a aplaudir y la escena continuó. La obra retomó su curso como si nada. Yo me sentí completamente desubicado. Fue como una experiencia extracorporal. No sé cómo explicarlo. Al finalizar la obra tuve que acercármele para felicitarla y decirle mis impresiones. Ella mencionó que nunca le había pasado algo así en todo el tiempo que ellos tenían presentando esa obra. Luego ella...

Al doctor pareció invadirle una gran tristeza.

—¿Ella qué, doctor? —insistió Goya.

—Cuando ya estábamos juntos, mucho después, ella me solía hablar de ese momento, de ese instante en que nos miramos en esa burbuja extraña, entre la ficción y la realidad, me dijo que en ese momento sintió, por primera vez, que su alma acariciaba el alma de otra persona, como si se hubiera fundido en algo más grande.

—¿Es decir que, en efecto, tuvieron una relación amorosa? —preguntó Castillo.

—Sí, claro. Nos enamoramos, estuvimos juntos un tiempo.

—¿Hace cuánto terminaron su relación? —preguntó Goya esta vez.

—Algo más de cinco años —respondió Federico Casas.

—¿Y por qué se separaron? ¿Fue usted el que terminó la relación?

—Sí, yo rompí con ella... Es difícil de explicar. Paula era una persona absolutamente fascinante. Pero muy inestable. Obsesiva y posesiva con el amor, se dejaba llevar con facilidad por las emociones, y cuando no se encontraba trabajando en alguna obra, cuando, por momentos, no tenía nada que hacer, se descontrolaba por completo. Por otro lado, había momentos en los que actuaba hasta en tres piezas, simultáneamente, y era como estar con cuatro personas distintas...

—¿Cuatro? —preguntó Goya.

—Pues sí, ella y los tres personajes de las obras en que trabajaba. Como dije antes, al comienzo esto me parecía hasta divertido, pero me fui dando cuenta de que usaba los personajes para esconderse, para evadirse. Cada vez me era más difícil hablar con ella. Además, ya me encontraba terminando el posgrado y estaba claro que quería asentarme y formar una familia. En cambio, Paula se sumergía cada vez más en el teatro.

—¿Y ella conocía sus deseos sobre asentarse y tener una familia? —preguntó Castillo.

—Por supuesto. Creo que fue la última conversación seria que tuve con ella.

—¿Y cómo se tomó la ruptura?

—Muy mal... Ya había tratado de terminar la relación

102

anteriormente, pero ella era muy persuasiva, o manipuladora, ya no lo sé. En fin, no quería que la dejara. Al final ya no pude soportar más la situación y rompí con ella de manera tajante. Tuve que bloquear las vías de comunicación que tenía conmigo, cambiar de número. Por entonces también se me presentó una oportunidad para cambiar de residencia y lo hice.

—¿Y está casado ahora? —preguntó Goya para ver cómo respondía.

—Sí. Y tenemos dos niños maravillosos —dijo Casas, mostrando las fotos—. Amo a mi familia. Sería incapaz de hacer algo que les pueda causar algún daño.

—¿Y nunca más, desde la ruptura, tuvo contacto con Rosales? —Goya interrogó.

—Nunca más volvimos a hablar —respondió el doctor.

—¿En todo este tiempo ella nunca más trató de buscarlo? —preguntó Castillo.

—Bueno... Hace unos meses, empecé a recibir llamadas y mensajes de ella en mi celular. No sé cómo obtuvo mi número.

—Pero nos acaba de decir que nunca más hablaron —recalcó Goya.

—Es que nunca llegué a hablar con ella en realidad. La primera vez que lo hizo, contesté sin saber quién era. La llamada venía de un número telefónico que desconocía. En lo que escuché su voz, apenas la saludé y le dije, de la manera más cordial que pude, que no teníamos nada de que hablar y que no me volviera a contactar.

—¿Pero ella continuó intentándolo? —interrogó Castillo.

—Sí. Llamó varias veces. Pero nunca contesté. Fue entonces cuando comenzaron los mensajes de texto. Eran de números distintos, pero era obvio que venían de ella.

—¿Y qué decían los mensajes? —preguntó esta vez Goya.

—Quería verme, que habláramos. Por un momento consideré la posibilidad de verla. Pensé que de pronto solo necesitaba hablar con alguien que no estuviera relacionado con su mundo, con su carrera. Habiendo conocido lo obsesiva que podía ser, dudaba sobre nuestra reunión. Pero entonces comenzaron a llegar los mensajes en los que decía que nunca me había dejado de amar, que lo intentáramos otra vez. Entonces entendí que lo mejor era no verla ni responderle...

El doctor titubeó y luego guardó silencio.

—¿Qué sucede, doctor? —preguntó Castillo—. ¿Hay algo que quiera decirnos?

Federico Casas guardó silencio un momento, como si estuviera eligiendo las palabras precisas.

—¿Han contemplado la posibilidad —dijo el doctor— de que, en efecto, Paula haya cometido suicidio?

—¿Por qué lo dice? —preguntó Castillo.

—Pues, como les he dicho, ella era una persona muy inestable. Y por la insistencia de sus llamadas y los mensajes que me escribió en los últimos meses... Digo, ahora me parecen más gritos de auxilio que confesiones de amor. Y a juzgar por la Paula que conocí, si las tendencias de trastornos que tenía entonces solo se intensificaron con el tiempo... pues entonces debía de encontrarse en un lugar muy oscuro. No puedo imaginarme la desesperación que debía sentir... En todo caso, es solo un pensamiento que se me ocurrió ahora mismo.

—Tenemos razones y evidencia que dicen lo contrario —dijo Castillo.

—Claro, ustedes son los expertos —recalcó el doctor.

—¿Y su esposa se llegó a enterar de que Rosales trataba de contactarlo?

—Sí... —dijo él, suspirando—. Tuvimos una horrible discusión ese día. Ella había revisado mi celular, por otra razón, y dio con los mensajes. Mi mujer tiene su temperamento. Me costó convencerla de que nunca llegué a responderle ni hablar con ella, mucho menos vernos. Pero al final entró en razón. Ella sabe cuánto los amo.

—¿Y esto cuándo sucedió? —preguntó Castillo.

—Hace pocos días. Cuatro días, de pronto.

—¿Su esposa y Rosales se conocían? —preguntó Goya.

—Si acaso habremos coincidido una sola vez. Ya conocía a Viviana antes de conocer a Paula.

—¿Su esposa sentía algún tipo de enemistad particular con respecto a Rosales?

El doctor pareció contrariado. Un gesto de extrañeza cubrió su rostro.

—Perdón, inspectores, pero no veo cómo se relaciona esa pregunta con la investigación.

—¿Cómo dijo que se llama su esposa? —insistió Goya mientras tomaba apuntes.

—Viviana... —dijo confundido—. Un momento, esto es ridículo. No estarán sugiriendo que...

—¿Está al tanto —dijo Castillo— de que su esposa intentó agredir a la víctima, en su camerino, el día antes de haber sido encontrada muerta?

—¿Cómo dice? —replicó el doctor, atónito.

—No lo sabía entonces... —dijo Goya con un tono de absoluta despreocupación.

—Un momento, ¿me están diciendo que mi esposa, Viviana, intentó agredir a Paula en su camerino? No puede ser, deben haberse equivocado de persona.

—Tenemos testigos de primera mano —dijo Castillo— que aseguran haber tenido que separar a una mujer de estatura media, con pelo ondulado y castaño, ojos oscuros, pirsin en el lado derecho de la nariz, que forcejeaba con Paula Rosales. Se reportó que dicha mujer amenazó con agredirla si ella se volvía a acercar a su esposo, Federico.

El doctor se llevó las manos al rostro, totalmente incrédulo de lo que escuchaba. Se mantuvo silencio por unos momentos.

—¿Ahora entiende por qué le preguntamos sobre su esposa? —indagó Goya.

El doctor asintió con la cabeza, pero no dijo nada.

—Mencionó —dijo Castillo— que conocía a su esposa antes de conocer a Rosales. ¿Nos puede hablar un poco más de eso?

—Sí —comenzó a decir, incorporándose—. Nos conocimos por amigos en común. Poco después yo conocí a Paula y comenzamos a salir.

—¿O sea que ella sabía que había historia entre ustedes? —continuó interrogando Castillo.

—Sí —respondió él, suspirando.

—¿También mencionó que habían coincidido alguna vez?

—Mientras Paula y yo éramos aún novios.

—¿Recuerda si, mientras usted y Paula estaban juntos, le habló a Viviana sobre ella?

—Es posible, pero no directamente a ella. Por aquel entonces coincidíamos por el grupo de amigos con el que salíamos y varias veces yo iba solo, porque Paula tenía que ensayar.

—¿Recuerda si lo que decía era bueno o malo?

—No sabría cómo contestar eso. Supongo que bueno, sobre todo si era al comienzo de la relación.

—¿Y cuándo empezó a tener una relación con Viviana, llegó a hablar sobre Paula?

—Seguramente, pero es ese tipo de conversaciones que las parejas tienen sobre relaciones pasadas. Ella también me ha hablado sobre sus relaciones anteriores.

—¿Y recuerda si Viviana mencionó algo, alguna vez, sobre sentir celos de Paula? Apartando la discusión que tuvieron hace poco.

—Pues Viviana dice que desde que me conoció quiso salir conmigo. De pronto mencionó alguna vez que sentía envidia de Paula mientras estábamos juntos... Escuchen, mi esposa puede ser testaruda y celosa... Y sí, está dispuesta a pelear para defender a su familia... Pero ella sería incapaz de matar a alguien. Puede que haya dicho muchas cosas, porque es algo volátil, pero nunca hubiera llegado a matar a Paula. Tal vez solo quería asustarla para que dejara de buscarme. Puedo jurarles que esa es la razón.

—Entendemos lo que nos quiere decir, doctor —dijo Goya—. Nosotros solo estamos haciendo nuestro trabajo. Analizamos hechos, buscamos pistas e investigamos. Hasta ahora, esto es solo eso, una investigación. No hemos dicho que su esposa asesinó a Paula. Para hacer eso necesitaríamos pruebas contundentes, irrefutables. Y, por el momento, no las tenemos. Pero le mentiríamos si le dijéramos que su esposa no es una sospechosa. Si está seguro de su inocencia, solo déjenos hacer nuestro trabajo. ¿Entendido?

—Sí... —respondió el doctor, desconcertado.

—Por lo tanto, vamos a tener que interrogar a su esposa Viviana.

—Está bien. Les daré mi dirección y le avisaré yo mismo sobre su visita. ¿Esta misma tarde?

—Cuanto antes, mejor —respondió Castillo.

—Una última cosa, doctor —intervino Castillo—. ¿Dónde se encontraba usted la noche en que la víctima fue encontrada, hace tres noches?

—A ver... —dijo Casas, que ya se veía exhausto—. Esa noche la pasé jugando póker con unos amigos. Llegué tarde a casa.

—¿Y su esposa? —preguntó Goya.

—Diría que la pasó en casa.

—¿Puede probarlo?

—No tengo manera de probarlo —dijo el doctor, a quien las preguntas le parecían inauditas— porque no hablé con ella. Pero si hubiera salido, me hubiera avisado.

Luego, Federico Casas llamó a su mujer. Primero le preguntó sobre ese encontrón que tuvo con Paula, del cual los inspectores hablaban. Por sus expresiones y por lo que decía, Goya y Castillo pudieron deducir que, por un lado, el doctor no sabía sobre esa visita de su esposa a la actriz; y por el otro, que su esposa no negaba el hecho, es decir, que reconocía haber tenido un claro altercado con la actriz. Esto daba un poco de esperanzas a los investigadores, que, sin confesárselo mutuamente, se empezaban a sentir perdidos en el caso.

Después de una discusión telefónica con su mujer, el doctor Casas le informó que los inspectores pasarían a verla para hacerle unas preguntas, que por favor los recibiera y que iban en camino.

Cuando los inspectores abandonaron el consultorio, la imagen que se llevaron del doctor era de suma consternación y alarma.

La residencia de la familia Casas parecía tan lujosa y grande como la de Antonio Luque. Pero su arquitectura era totalmente opuesta. Una casa grande, tradicional.

Cuando los inspectores llamaron a la puerta, una voz lejana, y con un mal humor evidente, les pidió que esperaran un momento. Cuando por fin abrieron, los recibió una mujer vestida casualmente, pero el casual de los grandes centros comerciales y las casas internacionales de ropa. Su mirada era como la de alguien que espera en una cola para el banco. Como si la innecesaria y larga espera en la puerta no hubiera sido suficiente, ahora la disposición de la mujer les confirmaba, sin lugar a duda, que la presencia de los inspectores no era bien recibida.

—Ustedes deben ser los policías que vienen a preguntarme cosas —dijo Viviana Casas.

—Inspectores —dijo Goya— Guillermo Goya y Aneth Castillo.

La mujer reparó en su apariencia y ni siquiera intentó disimular el disgusto, aun cuando el hombre había logrado bañarse y ponerse otra ropa esa mañana, al salir de su apartamento. Aneth siempre se preocupaba por lucir decente y profesional, pues le preocupaba que no la tomaran en serio. Pero tampoco iba muy lejos en los detalles para arreglarse. Sin embargo, al lado de Goya, a la esposa del doctor casi le pareció ver refinamiento.

—Vaya —dijo la mujer—, no sabía que había mujeres policía tan bonitas y bien arregladas.

—Usted debe ser Viviana Casas —dijo Aneth.

—La misma —respondió—. Pasen.

El piso de la sala parecía de mármol. Las paredes eran blancas y estaban adornadas con cuadros de frutas o paisajes. Al fondo se podía ver un patio con el césped perfectamente podado y asientos de mimbre. En la sala, los muebles eran de diseño moderno y blancos también.

—¿Y bien? —preguntó la anfitriona—. ¿Qué quieren saber?

—Nos gustaría —dijo Goya— hacerle una serie de preguntas relacionadas con Paula Rosales.

—¿Esa trepadora? —respondió ella, ofendida—. ¿No se había suicidado?

—¿Entonces —dijo Aneth muy seria— está al tanto de la muerte de Paula Rosales?

—Claro. ¿Creen que no veo las noticias o qué? Es a mi marido a quien no le gusta mirar televisión ni escuchar la radio. Yo no soy él.

—¿Es cierto —continuó Castillo— que el día anterior a su muerte usted tuvo un altercado con Rosales?

—¿Altercado? —dijo Viviana, riéndose irónicamente—. Nos peleamos, si eso es a lo que se refiere.

—¿Por qué razón? —preguntó Goya.

—Pues porque la zorra esa quería quitarme a mi marido, el papá de mis hijos, los hijos que yo le di. ¿Le parece poco?

Yo vi la cantidad de veces que lo llamó y los mensajes que le mandó la muy maldita. No le importó que ya él se hubiera olvidado de ella, ni que estuviera casado y con hijos. ¿Qué se cree? Había escuchado que iba a estrenar algo en el Teatro Imperial. Y me fui hasta su propio camerino a decirle las cosas como son, en su propia cara. Por poco le doy su merecido, pero se atravesó una de sus amigas.

Aneth no podía creer lo que escuchaba. Esta mujer dejaba ver, sin tapujos, el odio encarnizado que sentía hacia la difunta. Con todo, trataba de guardar la compostura. Por momentos, mientras la escuchaba, miraba furtivamente a Goya para ver su reacción. El jefe Goya permanecía inconmovible.

—¿Cómo conoció a Paula Rosales? —preguntó Goya.

—Nunca la conocí en realidad —dijo Viviana un poco más calmada—. Nunca nos presentaron como tal. Sabía que salía con Federico porque yo ya lo conocía a él por entonces. Después, cuando él y yo empezamos a estar juntos, sabía que ella lo buscaba con insistencia. Sabía el dolor de cabeza que significaba para él.

—¿Está al tanto de que Paula Rosales fue encontrada muerta el día después del altercado entre ustedes?

La mujer los miró por un momento en silencio.

—¿O sea que no se suicidó? —preguntó ella.

—Hay fuertes indicios que sugieren que fue asesinada —dijo Goya.

—Pues me alegra —replicó ella de manera enfática— que la hayan matado. Seguro se lo buscó, solita. Ciertamente se lo tenía merecido.

La mujer volvió a detener su discurso un momento. Luego sonrió.

—¿Ustedes creen que yo la maté? —preguntó, al fin, casi riéndose.

—Solo estamos haciendo unas preguntas, señora Casas —dijo Castillo.

Esta vez, Viviana soltó unas carcajadas.

—Pues —dijo luego— no saben el gusto que me dan al creerme sospechosa de la muerte de esa zorra.

—¿Qué hizo en la tarde y noche del día que Rosales fue encontrada muerta? —preguntó Goya.

—Estuve todo el día en casa. Ese día no tenía trabajo. Federico iba a pasar la tarde en una reunión del hospital y luego iba a reunirse con sus amigos. Así que yo decidí disfrutar de mi día también, dejé a los niños con su abuela, le di el día libre a la criada y pasé la tarde y la noche a mis anchas, en mi casa, tomando vino, escuchando música.

—¿A qué se dedica? —preguntó Aneth.

—Soy odontóloga —respondió la señora Casas.

—¿Hay alguien que pueda corroborar que usted estuvo aquí en la noche? —preguntó otra vez Castillo.

—Supongo que no. Pasé todo el tiempo sola. Mi esposo llegó muy tarde, en la madrugada. Cuando trabajas, estás casada y tienes hijos, tener tiempo para ti sola es un privilegio muy raro. Hay que aprovecharlo cuando se tiene.

A Aneth se le hacía cada vez más difícil aguantar el tono de superioridad de la esposa del doctor. Hubiera deseado decirle que tampoco tenía casi tiempo para ella, que había estado en medio de tiroteos, durante horas, que había perseguido narcotraficantes, que había salvado niños. Pero todo eso, ya lo sabía, era inútil.

—Si no tienen nada más que preguntar —dijo luego la señora Casas—, me gustaría que termináramos. Tengo cosas que hacer.

Sin nada más que agregar y un poco estupefactos por el personaje a quien acababan de interrogar, los inspectores abandonaron la casa de la familia Casas. Y ambos estaban muy confundidos. Los dos subieron al auto y salieron en dirección a la estación.

—¿Soy yo sola —dijo Aneth mientras conducía— o esa mujer está loca?

—Parece una narcisista de primera —comentó Goya—. ¿Crees que ella lo hizo?

—Pues no parecía que le faltaban las ganas —admitió Castillo.

—Exacto. Pero no está todo lo demás.

—Aunque debes admitir que está raro eso de no poder corroborar su presencia en la casa esa tarde. Su esposo tampoco.

—Entonces, estaríamos hablando de que la esposa cometió el crimen y el marido está ayudándola a encubrirlo.

—Es una posibilidad.

—Hay demasiadas posibilidades —dijo Goya, exhausto—. Pero no creo que ella se mostrara tan segura si fuera la asesina, ni tan abierta con respecto al odio que siente por Rosales.

—La hipótesis de Luque como culpable no parece tan descabellada ahora, ¿no? —recordó Castillo.

—En comparación... no —admitió Goya.

EN LA ESTACIÓN DE POLICÍA, Goya y Castillo se encontraban en el salón de conferencias analizando toda la información que tenían con respecto al caso Rosales. Con ellos también se hallaba Oliver Márquez, el forense que realizó la autopsia, a quien Goya había llamado para reunirse en la estación.

Resumiendo, tenían seis sospechosos: Nathan Smith, Catrina González, Antonio Luque, Iván Ruiz, Federico Casas y su esposa Viviana. De todos ellos, quien mostró con mayor intensidad una aversión por la víctima y una intención de agresión era Viviana Casas. Aunque tenían muchas reservas al respecto, era ella la que sumaba más elementos incriminatorios claros. Junto con ella, su esposo interpretaba un papel que todavía no quedaba muy visible y existía la posibilidad de que él mismo la hubiera matado. Después de todo, se sabe que Rosales lo buscaba con desesperación y que ella recibió al asesino en ropa interior, casi desnuda. En segundo lugar, muy a pesar de Goya, estaba Antonio Luque, a quien Castillo daba por culpable, más por una corazonada que por una prueba.

Ahí mismo se encontraba luego Iván Ruiz, a quien la misma Castillo admitía tan sospechoso como Luque debido a la extraña relación que tenía con Rosales y, también, al hecho de que la víctima fuera asesinada de la misma forma que el personaje de Ruiz debía matarla en la obra de Smith. Después ubicaban a Catrina «Nina» González, aparente confidente de Rosales, quien llevaba más tiempo conociéndola de todo el grupo de sospechosos. Aunque no había ningún elemento incriminatorio, resultaba sospechoso que suministrara información importante a destiempo. Por último, estaba el director Nathan Smith, quien en apariencia tenía mucho que perder con la muerte de Rosales, pero quien tenía también una fascinación por ella que lo llevó a escribir, durante años, toda una obra de teatro para ella.

Si veían los datos de la manera más neutral posible, los inspectores sabían que la mayoría eran conjeturas y que lo que brillaba por su ausencia eran las pruebas contundentes.

El ambiente era de cansancio. Ya era tarde y llevaban horas pasando una y otra vez por los mismos datos. Aneth y el jefe Goya, quienes se encontraban desde temprano haciendo interrogatorios, cabeceaban del sueño. Márquez, por su parte, analizaba de nuevo el informe que había realizado, junto con las fotografías del cuerpo, y lo contrastaba con otros informes de muertes parecidas. A medida que revisaba más informes, Márquez podía notar un patrón inequívoco: las víctimas que habían muerto por asfixia mecánica por estrangulamiento, y que presentaban marcas y daños muy similares a los presentes en el cuello de Rosales, en todos y cada uno de los casos habían sido asesinadas por un hombre de entre veinticinco y treinta y cinco años de edad. Había casos en los que, a pesar de ocasionar la muerte, las marcas y los daños eran menores; y, sin embargo, en estos casos no todos los culpables eran mujeres. También había hombres, pero de una constitución mucho más delgada de lo normal, algunos con perfiles depresivos y poca masa muscular.

Al confirmar que el patrón era lo bastante sólido y robusto, Márquez despertó a los inspectores para explicarles el descubrimiento. En un primer momento, las observaciones del forense parecieron alegrar a los inspectores. Pero el momento pareció fugaz y dio lugar a nuevas dudas. Ahora Viviana Casas debía ser descartada del cuadro. Ni hablar de Nina González. A regañadientes, Goya tuvo que admitir que el candidato que más se ajustaba era Luque, seguido por Ruiz. Goya también tenía instinto, un poco atrofiado ahora por los años de alcoholismo y drogas. Y este le decía que, en tal caso, Ruiz era el culpable y no Luque. Pero si lo escuchaba aún más detenidamente, su instinto le decía que no estaban viendo las cosas bien y que faltaba algo, un detalle, y que ese detalle era lo que le iba a dar forma a todo el conjunto. Sin embargo, se guardaba estas impresiones para sí mismo.

El día había sido muy largo. Todos decidieron darlo por terminado. De nuevo, el jefe Goya pidió a Aneth dejarlo en su casa y llevarse el auto. Cuando dejó a Goya en su edificio, ambos acordaron que al día siguiente investigarían por separado y que se reunirían en la noche, en la estación de Policía, a discutir los hallazgos y hacer algo con respecto a una acusación formal. El alcalde había empezado a presionar al comandante Sotomayor. Aunque el propósito de manejar mediáticamente una hipótesis de suicidio era evitar una bola de nieve informativa que terminara echando a perder la investigación, los días pasaban y los avances eran menores. Empezaba a correr el rumor de que Rosales en verdad había sido asesinada y la Policía, con los casos de uso ilegítimo de la fuerza que se iban acumulando en aquellos días, estaba quedando muy mal parada. En el peor de los casos, al alcalde no le importaba acusar a cualquiera, aunque no fuera el verdadero asesino, con tal de tener un culpable.

Aneth se despertó tarde. Eran las once de la mañana y estaba un poco alarmada por la hora. Por suerte, antes de dormirse pudo determinar qué sería lo primero que investigaría. Se había dado cuenta de que todo lo que escuchó de la víctima, Paula Rosales, eran relatos e impresiones de otros. Hasta ahora no se había dedicado a conocer algo sobre su vida. Al menos esas versiones superficiales que circulan por Internet, las cuales, en el mejor de los casos, cuando menos mencionan o aluden a hechos concretos.

Había un tema en particular que le interesaba sobre Rosales y era su relación con los orfanatos, tanto su experiencia creciendo en uno como, ya mayor, su involucramiento en la creación de lo que llamaban casas hogares.

Al levantarse, buscó algo que ponerse para salir a la calle. Se vistió y salió a una tienda de víveres, donde compró unas frutas y verduras. Volvió a la pensión y se dirigió a la cocina. Preparó un licuado con lo comprado y luego sirvió el contenido en un termo grande. Minutos después subió a su habitación con la bebida.

Arriba, dispuso la portátil para trabajar y dio un buen trago del termo. Cerró los ojos y disfrutó un momento del sabor. Después acercó un poco la portátil, abrió un buscador y escribió «orfanato familia». Los resultados arrojados no fueron muy alentadores. No todos se relacionaban en realidad con lo que buscaba y, los que sí, tenían información muy vaga. Curiosamente, varios de los enlaces estaban vinculados con Rosales, refiriendo los años que pasó en el lugar y, luego, cómo ella y otro niño del orfanato fueron adoptados por los ancianos vascos.

Al darse cuenta de que esta información iba a requerir algo más que Internet, Aneth decidió buscar más sobre «Familia Casa Hogar». Entonces comenzó a revisar entrevistas y reseñas sobre Rosales y la fundación. En una entrevista, leyó que ella le había puesto «Familia» en homenaje al orfanato que la albergó durante los primeros años de su vida. A través de algunas reseñas, se enteró de que algunos de los empleados en la fundación estuvieron en el antiguo orfanato, ya sea como huéspedes, es decir, como huérfanos, ya sea como antiguos empleados.

Aneth recordó entonces a Chapulín, el niño de La Paila, y, sin quererlo, recordó a la niña Castro, esa niña que salvó en las afueras de Aborín y que había experimentado el horror de escuchar cómo un hombre asesinaba a su madre y a su hermanito mientras ella estaba encerrada en un baño de su casa.

Cuando recién acababan de apresar al asesino de los Castro, el viejo inspector de Aborín se acercó a ella, quien estaba claramente consternada. Solo se sentó a su lado, sin decir una palabra. El inspector ya se había retirado, pero estaba al tanto del caso y al escuchar que una patrullera de veintiséis años había logrado dar con el asesino se sintió obligado a llegar a la escena. Después de compartir el silencio por un rato, Aneth le preguntó al anciano:

—¿Cómo sabes cuándo retirarte? ¿Cuándo ya has visto suficiente?

—Lo sabrás —respondió el viejo—. Solo lo sabrás.

Unos años antes había escuchado a su padre decir algo muy similar, pero por razones completamente distintas. Aunque estaba acostumbrada a escucharlo quejarse de algo o alguien, fuera su espalda, una rodilla, un político, el Gobierno, el mundo... Pero su discurso siempre tenía un objeto claro, un contexto pertinente, una razón de ser. Pero aquella tarde lo escuchó diferente. Mucho más tranquilo, transparente, hasta sereno, un calificativo que, propiamente, ella nunca le había podido atribuir a su padre. Esta vez no había un contexto preciso del cual se derivara la intención de sus palabras ni un objeto particular que le diera consistencia. A veces lo escuchaba decir «cuando ya no esté», o, concluía diciendo, «lo que me quede de vida». También lo sintió mucho más cariñoso. Aneth nunca sintió falta de afecto por parte de su padre, pero, después de su adolescencia, era ella quien tenía que buscarlo, abrazarlo o darle un beso en la frente. Ese día fue al revés. Era él quien se mostraba atento, quien le dedicaba palabras y gestos de afecto. También llevaba meses sin verlo, es verdad. Se acababa de mudar con su novio, su primera relación seria, y solo le había dedicado a su padre una que otra llamada telefónica para que estuviera tranquilo y supiera que ella estaba bien. A la vez que experimentaba por primera vez cómo era vivir con una pareja, también conocía ese extraño sentimiento que surge cuando te das cuenta de que tus padres también envejecen. Lo vio dócil y vulnerable. Por un instante hasta llegó a sentir un ligero rechazo por su despliegue de afectividad y su semblante demasiado humano. Y por ese instante que ni siquiera duró un segundo, por ese sentimiento que ni siquiera llegó a dominar su ánimo, todavía se siente culpable. Volvió a visitarlo un par de veces más y se comportó de la misma forma. Una semana después de la última visita, recibió una llamada de su tía, diciéndole que su padre estaba sufriendo un derrame cerebral y que iba con él en la ambulancia. No se pudo hacer nada. Cuando Aneth le preguntó a Pedro por qué seguía repitiendo que le quedaba poco tiempo, que cómo podía saberlo, él solo respondía que «uno lo sabe, uno simplemente lo sabe».

El celular de Aneth suena. Le ha llegado un mensaje de texto. ¿Será que el jefe Goya ya encontró algo interesante? Cuando mira la pantalla, es un número que no reconoce al comienzo. El mensaje dice: «Sé que esta semana se cumple otro año de la muerte de tu padre. Solo quiero que sepas que estoy pendiente de ti y que, si necesitas hablar, siempre cuentas conmigo». En este momento no puede lidiar con Vicente. No sabe ni qué podría decirle ni cómo. Lo único que tiene claro por el momento son unos cuantos nombres, un par de direcciones y muchas preguntas.

La primera parada es la casa hogar más cercana, la última que Paula Rosales inauguró personalmente. En el camino piensa en lo mucho que el trabajo puede ser una excusa perfecta, casi para lo que sea. Sobre todo estando en una relación. El antídoto para cualquier duda, la cura cuando uno se asoma al abismo. ¿Qué abismo? El de las personas, el que cada uno guarda y trata de esconder. Los primeros días después de la muerte de su padre estaba en completa negación. Entendía el hecho, entendía lo sucedido, pero todavía no lo comprendía. No sentía su ausencia. En su corazón era como si Pedro se hubiera ido unos días de vacaciones. Hasta que una mañana por la radio sonó una canción que tenía muchos años sin escuchar. De hecho, solo la habría escuchado en grabaciones dos o tres veces, cuando mucho. Se la había enseñado la única novia que le conoció a su padre, cuando ella todavía cursaba primaria. Se llamaba Mariela y, excluyendo a su tía, fue lo más cercano a una madre que tuvo por entonces. Se la enseñó para que se la cantaran juntas a Pedro en su cumpleaños. Incluso después de que Mariela y él se separaran, Pedro le siguió pidiendo a Aneth que la cantara por un par de cumpleaños más. Luego, aunque ya no se lo pedía, ella podía escucharlo de vez en cuando tarareando la melodía. Así, esa mañana, mientras empezaba a recorrer la ciudad con su compañero, algo más de una semana después de la muerte de Pedro, Aneth escuchó por la radio esa melodía, tan familiar, que decía: «… poniendo la mano en el corazón, quisiera decirte al compás de un son». Casi de inmediato sintió un nudo en la garganta y las lágrimas inundando sus ojos. Las imágenes nítidas de esos días despreocupados la asaltaron apenas reconoció la melodía. Por fin había comprendido que su padre se había ido y que no volvería más, que no escucharía otra vez su voz de tierra y raíces, que no vería sus manos manchadas y ásperas. Entonces, a su pensamiento empezaron a llegar todas las preguntas que alguna vez quiso hacerle, pero que, por una u otra excusa, nunca le hizo; preguntas sobre su madre, sobre el amor, sobre la vida adulta, sobre las cosas que te cambian para siempre. Ahora, mientras estaciona el auto, se le ocurre que, si estuviera vivo, le preguntaría para qué sirve la culpa.

En la entrada preguntó por América Herrera y le dijeron que se encontraba en el patio con un grupo de niños. Aneth atravesó pasillos con paredes casi inmaculadas, por los cuales se filtraba el sonido de gritos y risas de infantes jugando. Pensó qué idea de familia tendrían esos niños, si algo que involucra muchas personas o acaso una sola. De pronto ni siquiera tienen una idea, así sea vaga, de lo que esa palabra significa. ¿Pero qué tan diferente es su propio caso? Solo una persona había estado ahí para ella durante toda su vida, continuamente y sin interrupciones. Quizá estos niños puedan pensar en más de una persona. Quizá en ninguna.

En el patio hay varios grupos de niños. Algunos parecieran seguir actividades dirigidas, otros juegan a su antojo. Del otro lado, ve a una mujer que parece tener la misma edad que ella y es la que más se parece a la de las imágenes que vio por Internet. Está con un pequeño grupo de niñas, tejiendo. A medida que se acerca, advierte que las fotos que vio en su portátil no le hacen justicia a ese rostro. Sus rasgos le dan la impresión de delicadeza. Por alguna razón se acuerda de Nina. Pero la delicadeza de esta mujer es completamente diferente, emana de ella de forma natural, sin esfuerzo alguno. Puede ver que no lleva maquillaje, y aunque hay algo de salvaje, de indomable, en su aspecto, también hay un cuidado. Pero no un cuidado de la apariencia, sino de la vida. Ella tiene gracia, casi un aura. No había reparado en esto, pero ahora, viendo a esa mujer, comprende que la delicadeza y feminidad de Nina es construida. Ya había podido adivinar el tiempo que dedicaba Nina a su apariencia, como ocurre con tantas otras mujeres, como ocurriría con ella misma, de pronto, si hubiera sido criada por una mujer de la ciudad. Pero ahora comprende que hay algo más en la belleza que proporción y mantenimiento. Solo con ver cómo las niñas observan a América, y le hacen caso, es suficiente para darse cuenta de que confían en ella y que le tienen mucho afecto. Confianza y afecto. Quizá las cosas que más anhela un alma humana y, a la vez, las más difíciles de lograr y conseguir.

—Buenas tardes —saludó Aneth—. ¿Es usted América Herrera?

—Saluden a la señorita, niñas —dijo América.

—¡Buenas tardes! —respondió el coro de vocecitas.

—Muy bien, niñas —replicó América, sonriéndoles—. Sí, yo soy América Herrera. ¿En qué le puedo ayudar?

—Soy la inspectora Aneth Castillo, me gustaría hacerle unas preguntas sobre la Fundación Familia.

—¿Esto tiene que ver algo con Paula?

Aneth asintió. América dejó a las niñas unas instrucciones y se excusó un momento para pedirle a una compañera que estuviera pendiente de las pequeñas. Luego ambas empezaron a caminar lentamente por el patio. América fue la primera en hablar, lamentándose por la muerte de Paula.

—¿Pero entonces es cierto lo que dicen, que no fue un suicidio? —le preguntó.

—Me temo que no puedo decirle nada al respecto —respondió Aneth—. ¿Se comunicaban a menudo?

—No en realidad. Todos los meses hablábamos por lo menos un par de veces, pero siempre era relacionado a la fundación.

—¿Cómo la contactó Paula?

—La verdad fui yo quien la contactó. Me había enterado de que estaba detrás de la Fundación Familia por las noticias. Así que me acerqué a la inauguración de la primera casa hogar. Yo soy trabajadora social y el proyecto resonó mucho en mí. Sentí que, en lo que a eso se refiere, Paula y yo estábamos sintonizadas en la misma frecuencia.

—¿Estaba al tanto de la trayectoria de Paula?

—Estaba al tanto de que era una actriz que se estaba volviendo famosa, claro. He visto un par de sus películas. Y, pues, sabía que era la misma Paula con la que compartí en el orfanato. Estaba contenta por ella. Fue una sorpresa muy grata saber que estaba detrás de la fundación.

—¿Cómo la recibió? ¿La reconoció de inmediato?

—Le tomó un momento reconocerme. Apenas me vio advertí la sorpresa en su rostro, pero me hizo un gesto con la mano para darle tiempo de recordar quién era. Un momento después me llamó por mi nombre y nos abrazamos.

—La recordaba a usted con cariño.

—Sí. Yo también, claro. Supongo que para quienes fueron criadas por sus padres desde el comienzo el reencuentro con una amiga de la infancia siempre es ocasión de alegría. Imagínese para nosotras que pasamos varios años de nuestra infancia en un albergue.

—Claro, me imagino que se pusieron al día. ¿Hablaron largo rato?

—No tanto como me hubiera gustado. Después de hablar con ella quedé con la extraña sensación de saber menos de Paula que antes. Me contó que se había comprometido, que tenía varios proyectos andando y que estaba muy ocupada.

—¿No tocaron temas personales?

—Solía preguntarme si estaba a gusto con el trabajo, si me sentía bien. Cuando le preguntaba sobre ella, no compartía nada más allá de «bien» o «con mucho trabajo». De vez en cuando compartía un recuerdo de cuando éramos niñas.

—¿O sea que crecieron juntas en el orfanato?

—Sí. Bueno, durante un tiempo. Cuando yo fui adoptada, ellos todavía estaban en el orfanato.

—¿Ellos?

—Quiero decir, Paula y Ángel.

—¿Ángel?

—Ahora que lo pienso, quizá eran hermanos de sangre. Quizá hasta llegaron juntos al orfanato.

Aneth y América se encontraban ahora en la parte techada del patio. Al observar un banco que se encontraba desocupado y un poco más alejado, América propuso sentarse en él, lo cual hicieron ambas.

—¿Qué le hace pensar que eran hermanos?

—Siempre estaban juntos. Me es difícil recordarla a ella sin su compañía. Recuerdos de ese tiempo, quiero decir.

—Cuando dijo que en sus conversaciones, a veces, ella recordaba alguna anécdota, supongo que usted también formaba parte del recuerdo.

—Sí. Durante el tiempo que compartimos en el orfanato éramos casi inseparables.

—¿Y el orfanato permitía que niñas y niños se mezclaran?

—No todo el tiempo, claro. Dormíamos en secciones separadas, por ejemplo. Cuando comíamos también lo hacíamos en mesas separadas. Pero en los ratos libres estaba permitido.

—¿Y Ángel no tenía amigos? Quiero decir, amigos varones.

—Ahora que lo pienso, supongo que tenía muy pocos. A veces los niños lo molestaban y se terminaban peleando.

—¿Tiene información sobre la suerte que tuvieron después que usted se fue?

—¿A qué se refiere?

—Es decir, si sabe cuánto tiempo más permanecieron en el orfanato, si los adoptó la misma persona.

—Algo me contó sobre eso cuando nos reencontramos. Pero era lo mismo que se maneja en los medios. Pero sí, tiempo después que yo me fui, ella y Ángel se escaparon y estuvieron un tiempo en la calle, hasta que el matrimonio de personas mayores los adoptó.

—¿Le contó algo sobre lo que le ocurrió a Ángel?

—Lo único que dijo es que una mañana salió a comprar algo y nunca más volvió. Ella todavía era pequeña y lo que recuerda es que hablaban de secuestro, quizá tráfico de menores.

Un par de niñas se acercaron a América para mostrarle cómo iban quedando sus tejidos. Aneth los miró y le pareció que en realidad estaban quedando muy bien. Por alguna razón, recordó el bolso que vio en el apartamento de Rosales que tanto le había gustado. América las felicitó y las niñas volvieron con el grupo.

—¿Le gusta tejer? —preguntó América.

—La verdad es que no tengo ni la más mínima idea de cómo hacerlo.

—Su trabajo no es muy diferente a la actividad de tejer y es mucho más difícil —comentó América.

—Es una idea interesante. ¿Lo hace desde hace mucho?

—Sí. Desde niña.

—¿Aprendió junto con Paula?

—No. La verdad es que fue junto a Ángel. La cocinera del orfanato, Fausta, ella nos empezó a enseñar a Paula y a mí, pero al final fuimos Ángel y yo los que tomamos la actividad.

—¿Fausta Evangelista? —preguntó Aneth, que tenía ese nombre en su lista.

—La misma, sí. De hecho, ella está trabajando en otra de las casas de la Fundación Familia. Paula misma me dijo que le había costado ubicarla.

—¿Pero por qué el interés en ella?

—Fausta fue la persona más cercana a nosotros en el orfanato. Fue como nuestra madre. Yo imagino que ella la quiso ubicar en caso de que necesitara un trabajo bien pagado.

—¿Ella continuó en el orfanato después de que usted se fue?

—Sí. De seguro ella puede darle más información que yo. Lamento no poder serle de más ayuda. Ahora, si me disculpa, quisiera volver con mis niñas.

—Sí, entiendo. Agradezco mucho su tiempo.

Aneth se levantó para retirarse y, después de dar unos pasos, escuchó la voz de América.

—Inspectora.

—Sí, dígame.

—Nunca es tarde para empezar. Digo, si después de todo esto tiene un poco de tiempo libre y le interesa, puede aprender con las otras niñas. Puede que no lo parezca, pero tejer es muy terapéutico. A mí me ayuda a despejar la mente y a pensar de manera más ordenada.

—Está bien —dijo Aneth con una sonrisa de agradecimiento—. Lo tendré muy en cuenta. Gracias.

Quizá Aneth necesita algo así, algo que requiera tacto y cierta delicadeza. Ahora debe subirse al auto y dirigirse al albergue en las afueras de la ciudad.

2 0

Esa noche Goya entró a su apartamento con la mejor intención de acostarse y dormir hasta la mañana siguiente. Después de todo, ya venía con sueño y, en efecto, se había quedado dormido en la estación. Sin embargo, al acostarse, no hizo más que dar vueltas en la cama, ansioso, durante una hora. Se levantó molesto y se volvió a vestir. No tenía sentido intentarlo más.

Al salir del edificio ya estaba arrepentido de haber rechazado el diminuto trozo de oxicodona que Aneth le ofreció antes de irse. Ahora solo le quedaba vagar por el Centro buscando un sitio para embriagarse, al menos medianamente. Después de unos minutos caminando, cayó en la cuenta de que no tenía cigarrillos y no se le antojaba ningún lugar para entrar.

En una esquina compró un cigarrillo y mientras lo prendía creyó escuchar una melodía familiar que salía de uno de los bares cercanos. Originalmente, era un bolero, pero lo que escuchaba era una versión muy libre del tema, a guitarra y voz. A juzgar por la manera en que ambos elementos interactuaban, debía tratarse de una sola persona, una mujer. No lo pensaba por alguna apreciación negativa. No había torpeza ni en la ejecución del instrumento ni en la interpretación de la voz. Pero la voz era, claramente, la de una mujer, y la guitarra quedaba reducida a la mínima cantidad de notas posibles, solo para darle sentido a los vuelos y expresiones vocales. La voz era algo carrasposa, por momentos abandonaba la melodía y solo hablaba. Para quien no tuviera el oído entrenado en música tropical, la interpretación podría pasar por un tema original. Sin embargo, quien fuera capaz de reconocer la letra sabría que se trataba de una versión. Goya camina, buscando la fuente de ese sonido que lo ha hipnotizado. La mujer vuelve a la primera estrofa:

«Esperanza inútil, flor de desconsuelo, ¿por qué me persigues en mi soledad?».

Goya ubica el lugar y, a la puerta, le da unas últimas caladas a su cigarrillo.

«¿Por qué no me dejas ahogar mis anhelos en la amarga copa de la realidad?».

El inspector tira la colilla al suelo y la pisa, girando la punta del pie sobre ella. Entonces entra.

«¿Por qué no me matas con un desengaño?».

Desde la entrada no se ve la tarima, cuya visión parece estar obstruida por la barra. El lugar está relativamente lleno, pero ve un par de mesas vacías.

«¿Por qué no me hieres con un desamor?».

El lugar tiene una iluminación tenue, seguro por el recital que se está llevando a cabo. Goya se acerca a la barra y pide una cerveza.

«Esperanza inútil, si ves que me engaño, ¿por qué no te mueres en mi corazón?».

Toma la cerveza y se dirige a la mesa. Cuando se sienta, la intérprete le da rienda suelta a la guitarra, la cual asume el protagonismo después del coro. Cuando Goya repara en la mujer de la tarima, siente, a la vez, sorpresa y espanto, emoción y desconcierto. Era Nina. Llevaba unos tenis blancos, *jeans* negros ajustados y una camiseta sin mangas roja. Su pelo iba suelto y por vez primera Goya notaba lo largo que era. No llevaba tanto maquillaje como en las otras oportunidades en que la había visto. Tocaba con una guitarra española con cuerdas de nailon. Su interpretación era impresionante, por decir lo menos, no tanto porque fuera impecable como porque parecía realizarla sin esfuerzo alguno, prestando poca atención a las posibles equivocaciones. Era como si el instrumento tuviera vida propia y ella buscara sorprenderse con él.

«Esperanza inútil, flor de desconsuelo, ¿por qué no te mueres en mi corazón?».

El jefe Goya recordó que, cuando empezaba la universidad, su hija trató de aprender a tocar guitarra, sin éxito alguno. Decía que sus manos no tenían la fuerza necesaria para mantener los acordes y las barras por mucho tiempo. Goya le repetía que quizá se debía a que estaba intentando con una guitarra española, que son las que tienen el diapasón más ancho y el mástil más grueso. Laura no le hizo caso y lo dejó por completo. Pero ve la destreza con la que Nina toca el instrumento, hasta con los ojos cerrados, y no puede dejar de sorprenderse. Ahora recuerda haber visto en su apartamento un estuche de guitarra. Nunca imaginó que la tocara realmente y mucho menos así.

Nina termina la interpretación, agradece los aplausos, anuncia un breve descanso. El bar retoma su iluminación regular. La mujer se levanta de la silla, deja la guitarra en el atril y baja de la pequeña tarima. Cuando llega al bar, voltea hacia las mesas. En eso ve a Goya, quien levanta la mano para saludarla. Ella sonríe y se acerca hacia él.

—Hola, cariño, qué sorpresa verte aquí.

—Señorita González, lo mismo digo.

—Ay, no, dime Nina, como todos.

—Vaya sorpresa verla aquí, Nina. No sabía que cantaba y tocaba la guitarra tan bien.

—Todas las mujeres tenemos nuestras sorpresas, cariño. Ya a tu edad deberías saberlo muy bien.

—Lo he aprendido a las malas —respondió Goya entre las risas de ambos—. ¿Te presentas a menudo?

—No tanto como hace años. Lo hago más porque me gusta que por el dinero. Hay cosas que solo salen con la música y el canto y que no puedo expresar a través de la actuación, aunque no lo crea. ¿Vienes aquí a menudo?

—No. Es primera vez que vengo a este bar, la verdad.

—¿Y qué hace recorriendo el Centro a estas horas?

—No podía dormir —respondió Goya, en cuyo rostro se veía el cansancio.

—Es por el caso de Pau, ¿verdad? —dijo Nina, en cuyo rostro, en cambio, se asomaba la preocupación.

Goya pensó en oxicodona, morfina, naloxona, pensó en su hija y en su esposa. Lo último era el caso Rosales.

—Sí —respondió al fin—. Siento que estamos muy cerca. Pero estamos atascados.

—¿Pero qué hay de la esposa de Federico? Yo juraba que había sido ella.

—Lo siento, pero no puedo hablar de eso.

—Es verdad, cariño. Tú que sales a buscar algo de distracción y vengo yo a agobiarte otra vez con el caso. Cuéntame, ¿te parece que canto bien entonces?

—Me pareció increíble tu interpretación de *Esperanza inútil*. Y no lo digo gratuitamente. He escuchado varias versiones de ese tema. Soy un melómano, especialmente del género.

—¿Ah, sí? ¿Te gustan mucho los boleros?

—Y el son, el danzón, la salsa, la cumbia.

—Se me hace que el jefe Goya ha recibido golpes duros del amor.

—Demasiados para mi salud.

Nina rio.

—No cualquier mujer canta boleros como tú. Se me hace que a Nina también la ha golpeado duro el amor.

—Me ha golpeado duro todo y el amor no es la excepción, cariño.

—Supongo que valen la pena los golpes si las caricias fueron mejores.

—Yo solo he conocido los golpes, por desgracia.

—¿Tan mal la han tratado?

—No... No todo ha sido malo, es verdad. Las mujeres me han tratado muy bien. Pero los hombres...

Desde la barra un hombre llamó a Nina y le señaló el reloj.

—Bueno, la guitarra me llama —dijo ella—. Te dedico esta, cariño.

Nina tomó la pinta de cerveza de Goya, que ya se había terminado, y le hizo un gesto al hombre del bar para que trajera otra. Luego subió al escenario. El público de Nina aplaudía su regreso y las luces volvían a la modalidad de recital. A la mesa de Goya llegó otra pinta de cerveza. Nina tomó la guitarra y se sentó en el banco frente al micrófono.

—Gracias, queridos —dijo—. Esta canción se la quiero dedicar a un amigo de la audiencia.

El jefe Goya levantó la pinta hacia Nina y ella empezó a cantar.

«Aunque tú me has dejado en el abandono...».

El inspector recordó la primera vez que sacó a bailar a Silvia. Era otra época, eran otros códigos. Se bailaba pegado, pero no se restregaban unos con otros. La música anglosajona se empezaba a escuchar más y más, pero los grandes conjuntos de música del Caribe estaban en su mejor momento. Goya sentía el cuerpo voluptuoso de Silvia, quien minutos antes le hablaba sobre un desamor y los sufrimientos de su corazón, citando versos de poemas y de canciones. Llevaba el pelo corto y quería mostrarle el dedo al patriarcado y a los capitalistas. En ese momento, el todavía joven Guillermo Goya entendió que la atracción entre dos personas se da desde el nivel atómico, pasando por el electromagnético, el químico, y que acaso los pensamientos y las emociones se encuentren en ese mismo plano, invisible al ojo humano.

Hacía mucho que el recuerdo de su esposa no lo invadía con tanta nostalgia y melancolía. Y vaya que había hecho mucho para evadirlo. Pero ya estaba cansado de escapar. Ahora hallaba un alivio insospechado en esa tristeza, que de una forma extraña lo anclaba en la realidad y en su propia vida. ¿Qué habían sido los años recientes sino una ensoñación borrosa, una fiebre, un delirio? Goya termina su cerveza y espera a que Nina termine su canción. Cuando ella lo hace, él se levanta y, desde lejos, le hace un gesto de agradecimiento, para luego abandonar el bar.

Al salir, compra otro cigarrillo en la esquina y se lo fuma de vuelta a casa. Al llegar, se desnuda en su habitación y entra al baño. Se da una ducha. Al salir, rebusca en la cesta de medicinas. Dio con dos pastillas para el mareo y se las tomó sin dudar con lo que quedaba de licor en su botella. Eso lo ayudó a cerrar los ojos un par de horas al menos. Ya amanecía cuando los volvió a abrir, y estaba convencido de que no podría volver a hacerlo. La ansiedad le abrió el apetito. Pero antes de comer necesitaba encontrar más naloxona, así que volvió a salir a caminar por el Centro.

Mientras caminaba, iba repasando todo lo que sabía sobre el caso. La última información descartaba a las mujeres, al menos directamente. El atacante, el autor material, el asesino era un hombre. Sin embargo, era posible que Viviana y Federico Casas hubieran trabajado en conjunto, por lo que su coartada tendría que ser investigada con más detalle, buscar inconsistencias, contradicciones. Resultaba obvio el desprecio que Viviana sentía por Paula Rosales, pero Federico Casas no le daba la impresión de ser alguien capaz de quitarle la vida a otra persona. No obstante, había que tomar en cuenta que la entrada al camerino nunca fue forzada, e imaginarse a Paula semidesnuda, recibiendo a Federico, el amor de su vida, no parecía tan descabellado. Al menos, no a primera vista.

Goya sube por un callejón empedrado de pequeños bares, ya cerrados. Atraviesa una plaza, avanza otra calle y llega a una casa grande que ha sido restaurada. Atraviesa una sala grande donde hay varias sillas dispuestas en círculo. Una señora se encuentra barriendo el piso.

—¿Llegó la doctora? —le pregunta el jefe Goya.

—Don Guillermo —le responde la señora—. Todavía no llega, pero no debe demorar. Usted sabe que a ella le gusta llegar bien temprano, antes de la primera sesión. ¿Por qué no la espera ahí en la entrada de su consultorio?

—Eso haré. Gracias, Glenda.

Goya sigue avanzando por un pasillo y se sienta en una de las sillas.

Otro tanto pudo haber ocurrido con Iván Ruiz. Tampoco sería extraño que Paula hubiera recibido a su amante, buscando reconciliarse tras el altercado ocurrido durante el ensayo de ese inquietante final alternativo. Iván sabía que el corazón de Paula ardía por un hombre que no era él. Acaso la discusión los excitó a ambos, Paula le pidió que la estrangulara un poco durante el coito y los celos lo llevaron a ir más allá, a apretar un poco más. Por su complexión física, parece perfectamente capaz de causar el daño que presenta el cuerpo de la actriz. Demasiado capaz quizá. A decir verdad, podía dominar por completo a Paula sin causar todo ese desastre en el camerino.

Después de todo, a lo mejor Castillo tenga razón con respecto a Luque. Debe ser más o menos contemporáneo con el mismo Goya y sabe muy bien que el millonario se encuentra en mejores condiciones físicas. Pero sigue siendo alguien mayor, que ya no tiene la misma fuerza de antes. Ciertamente no la misma de Ruiz o Casas. Paula, que también estaba en óptimas condiciones, pudo hacerle resistencia al ataque, al menos en los primeros momentos. Todo esto sin considerar su obsesión con la actriz y el golpe emocional de haberla encontrado con Ruiz en la cama, todo ello resultando en el rompimiento de su compromiso. Es posible que no planeara matarla, que haya entrado en su camerino buscando una reconciliación. A lo mejor Paula se negó, discutieron y él se dejó llevar por la rabia y la frustración.

Ahora Goya recuerda a Luque mirando desconsolado la tumba de Rosales. Luego ve la hora: seis y cuarto de la mañana. Observa la puerta frente a él y el pequeño aviso que dice «Dra. Méndez».

Por último, estaba Nathan Smith, de quien Goya menos sospecha. Según los datos en el informe de Castillo, es el que parece menos culpable. Pero él no había tenido la oportunidad de verlo ni de interrogarlo. Puede tener información importante. Después de todo, resultaba inquietante (por decir lo menos) que los cambios que Rosales quería efectuar en el final de la obra tuvieran cierta similitud con su muerte. Estaba decidido, al acabar ahí, Goya le haría una visita a Smith. Por alguna razón, hay algo con respecto a Luque que no termina de encajar. Es posible que Smith aporte un dato importante que apunte hacia su definitiva culpabilidad o inocencia. Eso era en el mejor de los casos. En el peor, tendrían que llevar a juicio a Luque sin pruebas claras.

El sonido de pasos acercándose lo saca de sus cavilaciones. Al voltear, observa a una mujer de algo más de treinta, botas negras, *jeans* negros, camiseta blanca, chaqueta de cuero negra. Lleva gafas oscuras, pelo recogido.

—Don Guillermo, tiempo sin verlo —le dijo.

—Hola, Camila —dijo Goya con notable vergüenza—. Sí, tenía mucho tiempo sin venir.

—Si le soy sincera, no puedo decir que me alegre de verlo. Sé que viene a pedirme algo. —La doctora abrió la puerta de su oficina—. Por otro lado, me imaginé que si me volvía a encontrar con usted lo vería en peor estado. Ojo, no es que lo vea muy bien tampoco. —La doctora entró a su oficina e hizo pasar a Goya.

—Camila, comprendo todo lo que me dices. No es para menos. Tienes razón en todo y, aunque sí, vengo a pedirte algo...

—Le dije que no le iba a volver a dar morfina —lo interrumpió la doctora.

—No vengo por morfina —replicó él de inmediato.

Camila Méndez detuvo lo que estaba haciendo y miró extrañada al jefe Goya.

—Tampoco le pienso dar ningún otro opiáceo, don Guillermo.

—Solo necesito naloxona, Camila. He vuelto al trabajo, estoy investigando el caso Rosales. Tengo una nueva compañera. Quiero limpiarme, quiero reorganizar mi vida...

La doctora miraba sorprendida al jefe Goya, cuyos ojos se habían enrojecido y cuya voz parecía quebrarse. Nunca lo había visto así.

—Quiero volver a estar en la vida de Laura —finalizó Goya.

Camila suspiró y apartó la mirada, confundida.

—Quiero creerle, don Guillermo. De verdad quiero creerle.

—Hablo muy en serio, Camila. ¿Alguna vez me habías escuchado decir algo parecido?

—No.

—Solo necesito la naloxona para terminar la investigación. Sea como sea, terminará pronto. Te prometo que después de eso volveré acá a terminar lo que empecé hace mucho.

Goya mantuvo la mirada fija en Camila, expectante. Había mucha convicción en sus palabras. Y, por vez primera, todo lo que decía era totalmente honesto. En verdad quería retomar el control de su vida. En verdad quería volver a ver a su hija.

Algo exasperada, como si ya estuviera lamentando su decisión, la doctora abrió una gaveta en su escritorio y sacó un talonario de recetas médico. Luego tomó un lapicero y escribió en una hoja que después arrancó, para entregársela a Goya. Este cogió el papel y lo guardó en un bolsillo.

—¿Y cómo está Laura? —preguntó Goya después de un breve silencio.

—Está bien, don Guillermo —respondió tras pensárselo un momento—. Ella está bien.

Goya agradeció a la doctora y salió camino a la farmacia más cercana. La mañana se había instalado por completo y las calles se poblaban de gente y de autos. Goya entró a la farmacia e hizo el pedido, mostrando el papel que le diera la doctora. Pagó por las pastillas y salió en busca de un lugar para desayunar. No tuvo que caminar mucho para encontrar uno. Al sentarse pidió un café y un caldo de costilla. Tragó una pastilla con unos sorbos de café mientras esperaba por el caldo. Recordó entonces que Aneth le había dicho que Rosales, en algún momento, amenazó a Smith con abandonar la obra. Luego se preguntó qué tan en serio se habría tomado el director tal amenaza. A juzgar por lo volátil que parecía ser Rosales, es probable que Smith le haya dado importancia. Pero en dicho caso, ¿quién reemplazaría a Rosales?

El caldo de costilla llega y, después de quién sabe cuánto tiempo, Goya redescubre el placer de oler un plato de comida recién hecho. Mientras toma el caldo, piensa que debe volver a repasar, con una mente fresca, toda la evidencia relacionada con la escena del crimen. Ayer fue un día muy largo de trabajo y lo poco que llegó a considerar ni siquiera lo pudo procesar correctamente. Trató de convencerse de que no existía crimen perfecto y de que debe haber un detalle que están pasando por alto. Luego trata de imaginarse a su hija Laura. Se pregunta cuál sería su aspecto actual, cómo llevará el pelo, si realmente estará bien. Por el momento no le queda más que creer en Camila.

Cuando termina, sale de vuelta a la calle y espera por un taxi. Momentos después uno se detiene y le pide que lo lleve al Teatro Imperial. Al llegar, recuerda que tenía años sin venir a ese lugar, se asoma por la puerta principal y advierte que un ensayo se está llevando a cabo. Para pasar inadvertido, decide tomar uno de los pasillos laterales y acercarse al escenario. Las puertas de entrada hacia la zona media de la sala están abiertas. Más adelante, en los asientos cercanos al escenario, advierte a un hombre con rasgos caucásicos. Una mujer, mucho más joven, está sentada a su lado. Hay otro grupo de jóvenes de pie por el pasillo central, observando la escena. En el escenario puede distinguir a Nina y a Ruiz. Al parecer son los únicos que aparecen en esta escena. Nina lleva una bata de paciente y Ruiz viste de gala. Nina observa por una ventana, dándole la espalda a Ruiz, quien parece querer convencerla de algo. Goya decide dejar la sala e ir tras bastidores.

En el pasillo anterior al escenario observa una foto grande con un texto debajo y flores. Al acercarse, advierte que es una suerte de homenaje en memoria de Rosales. En la foto aparece el reparto original de la obra. De todas las personas que aparecen en la imagen, solo reconoce a cuatro. En el medio puede ver a Smith. Viste como un bohemio y abraza por la cintura a Paula y a Nina, una a cada lado. A su izquierda está Nina. Lleva un vestido corto color rojo y tacones azules. A su derecha está Paula, lleva una bata de paciente y está descalza. La bata es justo como la que le vio a Nina en el escenario. Al lado de Paula está Iván Ruiz, con el mismo traje de gala que llevaba hace un momento. El jefe Goya decide asomarse de nuevo por la sala.

Está totalmente a oscuras, a excepción de un reflector que apunta al escenario. Este ilumina solo a Nina, quien sin duda lleva el peso principal de la escena. Viste la misma bata de paciente y va descalza. En una de sus manos carga una pistola y habla sobre la soledad, la incomprensión, la locura y la muerte. Tras ella, en el fondo, bajo una iluminación mucho más tenue, hay otros cuatro personajes, uno al lado del otro, observándola, juzgándola con sus miradas. Entre ellos está Ruiz. También advierte a una mujer que lleva un vestido rojo muy parecido al que lleva Nina en la foto. Calza tacones de otro color. Goya se da cuenta de que Nina tiene hipnotizados a los compañeros que observan la escena. También a Smith. Las palabras parecieran salir naturalmente de ella. Sus líneas pudieran sonar trilladas con facilidad. Sin embargo, genera empatía. Domina el personaje a la perfección.

Goya decide abandonar el teatro y dirigirse a la comisaría.

21

EL ALBERGUE ES APENAS MÁS grande que el de la ciudad. Pero tiene mucho más terreno. Llegando a la casa, Aneth alcanzó a ver vacas y caballos. El cielo está nublado, pero la lluvia sigue descansando.

Aneth entra a la casa y pregunta por Fausta Evangelista. Le responden que la puede encontrar en la cocina. Una vez en el umbral, solo ve a una señora sentada en una mesa, comiendo. No hay nadie más en el lugar. Los platos se han dejado secando. En las hornillas solo hay una olla sopera. Aneth entra en la cocina y el aroma de la sopa hace sonar su estómago. El aroma se le antoja delicioso. No había reparado en el hecho de que todavía no ha almorzado.

—¿Señora Fausta Evangelista? —preguntó la inspectora.

La mujer levantó la mirada. La cucharada que iba a llevar a su boca quedó a medio camino.

—Sí, señorita —respondió—. ¿En qué puedo ayudarla?

—Soy la inspectora Aneth Castillo. Me gustaría hacerle unas preguntas sobre Paula Rosales.

Una tímida tristeza se asoma en el rostro de la mujer.

—Claro —dijo levantándose—. Por favor, tome asiento.

—Lamento interrumpir su almuerzo.

—No se preocupe. Dígame, ¿en qué puedo serle útil?

—Tengo entendido que Paula Rosales la contactó a usted para trabajar aquí. ¿Es cierto eso?

—Sí, inspectora. La señorita Rosales todavía se acordaba de esta humilde servidora cuando empezó con la fundación.

—¿Le ofreció trabajo?

—Sí. En verdad mi trabajo es ayudar a cuidar a los niños. A veces me dejan ayudar en la cocina, como hoy.

—¿Estaba trabajando en otro sitio cuando Paula Rosales la contactó?

—No. Ya a esta edad no hay mucho que uno pueda hacer. Vivía de mi pensión, que no es mucho, pero me alcanzaba lo justo para vivir. A veces trabajaba de niñera.

—Y usted conocía a Paula desde pequeña, ¿no?

—Sí, desde el orfanato. Desde chiquita le gustaba actuar.

—¿Trabajó allí todo el tiempo que ella estuvo?

—Así es. Y allí continué trabajando durante un tiempo después que ella se fuera.

—¿También conocía a América y a Ángel?

—Ah, sí, claro. Esos tres iban para todos lados juntos.

—¿Los niños le tenían confianza a usted?

—Siempre que podían me acompañaban o me buscaban para preguntarme cosas. A veces me ayudaban en la cocina.

—¿Es cierto que Paula y Ángel se escaparon del orfanato?

—Ay, sí, señorita inspectora. No se imagina la mortificación. Yo me moría de la angustia. No tenía la menor idea de dónde estaban, si estaban bien o mal. Nadie más se preocupaba por ellos, solo yo. ¿Pero quién más se iba a acordar? En esa época había muchos niños en el orfanato, había mucha pobreza en las calles.

—¿Pero entonces sí llegó a saber de su paradero?

Por un momento, la expresión de la señora fue de preocupación. A Aneth le pareció que el tema la estaba poniendo nerviosa.

—El niño, Ángel —dijo al fin Fausta—, no sé cómo hizo, pero una noche se escabulló en mi cuarto y me despertó. Casi pego un grito del susto. Me dijo que necesitaban comida, que estaban en la calle, pero que habían conseguido un lugar seguro. No sé cómo hice para aguantarme el llanto de la alegría que me dio verlo y saber que Paula estaba bien.

—¿Y no querían volver al orfanato?

—No, ni muertos. Dijo que estaban más seguros en la calle. Que no eran los únicos.

—¿Sabe por qué se escaparon?

Nuevamente, Aneth advirtió que la señora se incomodaba y miraba a su alrededor.

—Por aquellos días, el párroco de la zona empezó a visitar frecuentemente el orfanato. Como se podrá imaginar, esos días las monjas querían hacer la mejor comida de la semana y tener todo el recinto más que ordenado y limpio. Ese día, el párroco elegía alrededor de cinco huérfanos, niños y niñas. Nunca supe bien por qué, pero había llegado a escuchar que eran eventos privados con los patrocinadores del orfanato, en los cuales el párroco hacía una misa.

—¿Patrocinadores?

—Los que ayudaban a mantener funcionando el orfanato.

—¿Y Paula, Ángel y América fueron elegidos alguna vez?

—Ya para entonces la niña América no seguía con nosotros. Pero sí, Paula y Ángel habían sido elegidos... —Fausta se había detenido.

—Por favor, continúe —le pidió Aneth.

—No sé ni qué decirle, señorita. Al día siguiente Paula y Ángel estaban distintos. De hecho, nunca más les vi esa alegría en los ojos que tanto contagiaban. Apenas comían, apenas jugaban. Esos niños no se podían estar un momento quietos. Algún juego inventaban, algo hacían. Pero después de esa mañana se les veía quietos, sin ánimos.

—¿Sabe lo que les sucedió? ¿Tenía que ver algo con el evento del párroco?

—Nunca me lo dijeron. Pero a la semana siguiente los habían vuelto a invitar. El párroco ni siquiera visitó el orfanato. Al parecer se lo comunicó a la madre superiora y ella se lo dijo a los niños. Y nunca se me quitará de la cabeza la convicción con que Ángel me decía que nunca más volvería a ese lugar y que nunca más dejaría que se llevaran a Paula. Nunca había visto odio en los ojos de un niño, hasta ese día. Al día siguiente habían desaparecido. Jamás me dijeron nada sobre ese evento, pero después de enterarme que se habían escapado, yo me imaginaba lo peor. Desde entonces, más niños empezaron a escaparse del orfanato. Fue una cosa horrible.

—¿Alguna vez volvió a saber de Ángel o Paula después de que él se apareciera en su cuarto?

—Ángel se volvió a aparecer un tiempo después para decirme que los había recibido una señora mayor que vivía sola con su esposo, que estaban bien y que ya no tenía que preocuparme por ellos. No me dijo mucho más. Se fue rápido y no volví a verlo. Años después supe de Paula y lo que había sido de ella por la televisión y las noticias. Hasta lloré de la emoción al saber que estaba llevando una vida exitosa después de tener una infancia tan dura. Y ahora está muerta.

Fausta comenzó a llorar. Trataba de contenerse en lo posible. Aneth le buscó un vaso con agua y poco a poco fue calmándose. La inspectora no podía sacarse de la cabeza al niño Ángel y su misteriosa desaparición. Hermano o guardián, tenía que haber sido una figura muy importante en la infancia de Paula y, sin embargo, casi no se le mencionaba.

—Señora Fausta, lamento tener que insistir con el tema, pero necesito hacerle más preguntas. ¿Usted recuerda si Ángel compartía con otros niños?

—Muy poco, señorita. Ángel era un niño... especial.

—¿Qué quiere decir?

—Pues... No le gustaba hacer las mismas cosas que a los otros niños. Los niños varones, me refiero.

—¿Qué cosas le gustaba hacer?

—Ahora que lo pienso, él fue quien empezó con eso de actuar. Inventaba escenas parecidas a las de las películas que veían, o de las telenovelas que yo miraba. Él ponía a actuar a Paulita y a los otros niños que estuvieran en el grupo. Pero una vez intercambiaron los papeles y él hizo el papel de la mujer y Paulita el del hombre. Yo, apenas me di cuenta, les llamé la atención, porque así no son las cosas, ¿cierto? También hubo otro día en que yo fui a mi cuarto a buscar algo y lo encontré usando mi maquillaje.

—¿Y qué hizo?

—Pues lo agarré bien fuerte y lo regañé. Pero no le pegué. Pobrecito... Ahora me arrepiento. Pero al día siguiente se desquitó y me dejó encerrada en la cocina. Yo nunca le pregunté, pero sabía que había sido él.

—¿Cómo lo trataban los otros niños?

—Algunos sí eran amigables. Pero había otros que lo fastidiaban, diciéndole que era una niña.

—¿Y esto ocurría muy a menudo?

—No en realidad, solo a veces. La verdad es que Ángel era un niño que no dejaba que se burlaran de él. Cuando alguien lo fastidiaba, le caía a trompadas con una furia tal que las monjas tenían que separarlos y lo regañaban a él muy duro, pobrecito. Así igualito defendía a Paulita y a América.

—Señora Fausta, ¿tiene idea de en dónde podría encontrar una base de datos de los niños del orfanato?

—La verdad es que no lo sé, señorita. Dudo que exista. En el orfanato hubo un incendio en las oficinas principales y, según escuché, se perdieron todos los equipos y documentos. Esa fue una de las razones por las que el orfanato terminó cerrándose. Yo para entonces ya me había ido.

Cuando Fausta terminó de hablar, hubo un silencio mientras Aneth terminaba de anotar las cosas más importantes de lo que le decía la señora. De repente, su estómago volvió a crujir, reclamándole el abandono en el que lo tenía. El sonido, que había sido escuchado por ambas, logró soltarles unas cuantas risas. La señora se levantó y sirvió dos platos hondos con la crema de verduras que había en la olla. A Aneth le pareció que un pedacito del cielo se acercaba a ella cuando vio el plato frente a sí.

Entonces ambas tomaron la crema con algo de pan. De vez en cuando, Fausta comentaba lo buena que Paula había sido con ella desde que la volvió a contactar. Decía que la llamaba a menudo para saber cómo estaba de ánimos, de salud, recordándole que le hiciera saber cualquier cosa que necesitara, que no se preocupara por el dinero. También le contó cómo la hacía reír con sus historias de rodajes y anécdotas del mundo del teatro, del cual siempre decía que estaba lleno de locos. Por último, las llamadas casi siempre terminaban con ambas recordando vivencias del orfanato. Fausta dijo que más de una vez quiso preguntarle por Ángel, pero que no lo hizo por pena. Si Paula misma no decía nada, era mejor dejarlo así, le comentó. Cuando terminaron, Aneth le agradeció por el almuerzo, que le había parecido exquisito. Fausta se despidió de ella abrazándola, diciéndole que, por alguna razón, le recordaba a sus «hijas del orfanato», refiriéndose a América y Paula.

Mientras se dirigía al auto, Aneth pensaba que, apartando a América, Fausta fue la única persona que realmente había hablado bien de Paula Rosales, la única que hablaba de ella con genuino afecto. América ya le había dado esa impresión, pero de manera muy ligera. Al final prevalecía ese sentimiento de desconexión, que era lo mismo que ocurría con los otros. Pero al menos América hablaba de ella como otro ser humano, no como una diva, una diosa o como una idea abstracta. ¿De qué servía tener semejante talento si al final se convierte en una muralla que te separa del resto? Ah, pero las murallas también sirven como defensa. Quizá Fausta fue el último puente que la unió con el resto de la humanidad, con su centro cálido y familiar. En la mente de Aneth, Paula aparecía como un ser completamente aislado y solitario, como un sol, como una estrella, incapaz de acercarse mucho a algo sin consumirlo en llamas. Eso era lo que había ocurrido con Luque, sin duda. Se acercó mucho al sol y terminó como Ícaro, destrozado. Aneth sintió tristeza por ella. Acaso también sentía esa tristeza por sí misma, también solitaria.

Ahora recuerda a Vicente. ¿Acaso había querido huir de él? ¿Por qué no había podido contarle lo que en verdad sucedió? ¿Por qué sentía que era solo su responsabilidad? La conmoción del caso de la niña Castro la había hecho perder un embarazo que apenas comenzaba. Primero fueron las pesadillas. Y una madrugada se levantó con un dolor intolerable en el vientre. Vicente estaba en el desierto, por trabajo. Aneth tuvo que ir sola a emergencias. Más tarde le preguntarían si estaba al tanto de su embarazo y le informaron que lo había perdido. Nunca pudo decirle a Vicente que esperaba un hijo. Se sentía culpable. Se hundía en la depresión. Tenía que esconderse en el baño a llorar. Por entonces supo que en la capital buscaban un inspector e hizo todos los trámites para mover su solicitud. Cuando Vicente volvió, ya todo había cambiado. Ella era otra mujer. ¿Por qué no pudo decirle siquiera que estaba embarazada? ¿Temor? ¿Acaso Vicente la dejaría o le pediría que abortara? ¿Acaso no tenía derecho a saberlo? Una vez que ya todo hubo pasado, no tenía sentido comentar nada al respecto. Ya era muy tarde. Paula tenía a Fausta como último puente, como última esperanza. ¿Pero cuál es el puente de Aneth? No Vicente, no si supiera todo esto. El único puente sólido era su padre y hace tiempo que se fue. En ese momento, lo más parecido es una estructura fantasmal y difusa llamada Paula Rosales. Este caso es lo único que la mantiene unida al mundo. Su trabajo es lo único que le da sentido a su vida. Al menos por el momento.

Al abandonar el albergue, Aneth advierte que, casi sin darse cuenta, se ha ido gestando en ella una corazonada, una intuición, o lo que sea a lo que la gente se refiere cuando dice «simplemente lo sabrás». Pero no quería hacerse ilusiones todavía. Tomó su celular y llamó a la comisaría. Contactó a Hilario Cota para saber el estado del material de evidencia del apartamento de Rosales. Este le respondió que todo se encontraba organizado en la sala de evidencias. Luego le pide a Cota que investigue sobre la base de datos del viejo Orfanato Familia y que, de ser posible, compare los informes de incendio de ese orfanato y de la casa de Horacio Vitto. Las quejas de Cota como respuesta la llevaron a edulcorar su voz y hablar de lo cerca que estaban de resolver el caso. El compañero suspiró y le dijo que haría todo lo posible.

Minutos más tarde, cuando Aneth ya se encontraba entrando a la ciudad, recibió una llamada. Era Goya.

—Tenemos que reunirnos en la comisaría —dijo él.

—No se imagina cuánto —respondió ella.

Mientras se adentra en la ciudad, Aneth piensa que de pronto este trabajo no sea para ella. Duda. Sí, le da sentido a su existencia porque es lo único que tiene en ese momento. Pero quizá no era tan buena como pensaba. No para eso. Posiblemente tenga que reevaluar sus capacidades, sus aptitudes.

Si no hay una solución satisfactoria en este caso, a lo mejor debe retirarse y dedicarse a otra cosa. Quizá a los motores y los autos, algo más tranquilo. Pero todavía no todo está dicho.

Todavía queda un pequeño tramo que recorrer y acaso ese pequeño tramo guarde sorpresas inesperadas.

22

EL SALÓN se encontraba inundado de pruebas del caso Rosales. Sobre los escritorios reposaban informes de diversa índole, objetos en bolsas plásticas de diferentes tamaños, recuperados de la escena del crimen, fotografías. Las últimas ocupaban también una de las paredes del lugar y parte de una pizarra grande, que también tenía escrito en letra grande y legible pistas sobre el caso. El jefe Goya estaba de pie. Por momentos miraba la pared con las fotografías, la pizarra y los objetos que eran evidencia de la escena del crimen, como si quisiera recomponer la escena en su pensamiento. Aneth, por su parte, parecía muy enfocada en unas cajas que había sobre su escritorio. En las cajas se encontraba la evidencia recuperada del apartamento de Rosales.

Goya observa con detenimiento las fotos de la escena del crimen. Observa el florero roto, algunos trozos de vidrio esparcidos a la altura del cuerpo de la víctima, otros se pierden entre zapatos y ropa, pero la mayoría se acumulan en un lugar cercano a sus pies, muy cerca también de una mesa algo elevada que a Goya le parece el epítome de lo impráctico por tener las patas muy juntas y delgadas. Seguro solo servía para el florero y le llama la atención que no haya terminado en el piso también. Quizá el asesino la había vuelto a levantar. ¿Pero por qué razón? ¿Un extraño sentido de culpa? A lo mejor era de esas cosas que simplemente no tenían explicación, como tantas otras en la vida, algo que a Goya le resultaba muy difícil de entender. Durante mucho tiempo soñó con un mundo ordenado, descifrable, inteligible, y guardó en secreto la esperanza de que, oculto en un sustrato fundamental de la realidad, ese orden pudiera existir y era accesible. Pero desde hace unos años ha abandonado ese sueño, esa esperanza. Y ese abandono lo había gratificado con una libertad que no había conocido antes, la libertad de no querer entenderlo todo, de no extraer un sentido y un significado a cada evento de su vida. La extraña libertad de la incertidumbre, que no viene sin cierto horror. Ahora Goya observa las flores, las camelias rojas, ya secas, sobre algunos de los trozos de vidrio del florero. También había algo de agua, pero no mucha. Goya buscó por los escritorios y encontró los trozos de vidrio y las camelias. Las últimas estaban más secas que en la foto, claro está. Entonces revisó sus apuntes sobre su visita a Luque. En efecto, el casi viudo recordaba perfectamente regalarle años atrás un ramo con camelias rojas y calateas naranjas. Era muy probable que las flores en su camerino se las hubiera dado Luque. Y si ya estaban algo secas, ya tendrían varios días ahí. Quizá se las regaló cuando su relación todavía parecía perfecta. Pero unas flores no se secan así a menos que se las abandone. Al parecer, Luque no era lo más importante en la vida de Rosales. Qué difícil parece poder permanecer en el corazón de alguien. Uno pensaría que lo mejor es tener un ojo atento a ese tipo de detalles, estar siempre en guardia. Pero nadie puede vivir así, pendiente de cualquier señal de decadencia, sin volverse loco.

Goya se enfoca en las prendas de vestir. En las fotos observa que algunas terminaron en el suelo, otras apenas colgaban de sus respectivas perchas. Algunas lograron permanecer colgadas y bien puestas, quizá algo movidas. Ahora Goya revisa la ropa que forma parte de la evidencia sobre los escritorios: una bata de paciente, como la de la fotografía que vio en el teatro y como la que llevaba puesta Nina en el ensayo; un kimono largo con motivos orientales, que no parece original, unas prendas de gala, una chaqueta negra de cuero, una bufanda, una sudadera, una camiseta blanca y unos *jeans* azules. Logra identificar lo que aparece en las fotos, pero hay prendas que están sobre el escritorio que no se ven en ellas. Mucha de esta ropa debía ser vestuario del teatro, sino toda. Sale un momento de la sala para pedirle a un oficial que averigüe si el grupo Prosopos posee una modista propia, o alguien que se dedique al vestuario del elenco. Con seguridad debía haber una, o uno.

A continuación, Goya trata de hacer lo mismo con los zapatos: un par de botas negras, que logra identificar en las fotos, en el suelo, cerca del tocador de Rosales, una está caída; un par de tacones negros que no alcanza a ver bien en las imágenes, seguro tapados por la ropa que cayó; un par de tenis blancos, de los cuales solo uno aparece en las fotografías; un par de tacones dorados, ambos visibles en las fotos, uno cercano a la rodilla derecha de la víctima y otro un poco más arriba, a la altura de la cintura; unas sandalias, de las que solo se aprecian unas tiras largas en las imágenes; un par de mocasines negros, que tampoco se ven muy bien. En las fotografías, del lado izquierdo de la víctima, ve un tacón azul. Goya empieza a rebuscar entre los objetos que están sobre el escritorio hasta dar con un tacón azul. Sigue buscando, pero no consigue el otro. Luego revisa en los informes el inventario de objetos de la escena del crimen. Lo revisa una y otra vez, pero no hay equivocación posible: es un solo tacón azul, correspondiente al pie derecho. Observa nuevamente el zapato azul y se da cuenta de que tiene el taco roto.

La pregunta era obvia. ¿Por qué uno solo? Pero de esta pregunta podían derivarse mil más. ¿Cómo terminó un tacón azul, solitario, en el camerino de Rosales? ¿Acaso era de ella y había olvidado el otro en su apartamento? ¿Era parte de la obra que solo se usara el tacón del pie derecho? ¿O acaso lo había perdido la asesina? ¿Pero no se había descartado la posibilidad de que fuera una mujer? Tenía que ser alguno de los hombres. ¿Iván Ruiz? ¿Estaría el travestismo también incluido en la lista de juegos sexuales de los amantes? ¿Acaso se sintió denigrado al extremo por las peticiones de Paula y, siendo incapaz de seguir soportándolo, se abalanzó contra ella? Sea como sea, han cometido un error grave al pasar este detalle por alto.

Goya se enfurece.

—El idiota de Cota... —dijo en voz alta, exasperado.

—¿Qué sucede? —preguntó Aneth tras levantar la mirada de los documentos que revisaba.

—El pendejo pasó por alto que se encontró un solo tacón azul. No un par, como el resto de calzados de la escena del crimen. Un solo tacón azul, el del pie derecho. Y, escucha esto, tiene el taco roto.

—El forcejeo... —dijo Aneth como pensando en voz alta.

—Puede ser. O puede ser que no. Se supone que el asesino es un hombre, pero el idiota se pudo haber equivocado con eso también.

—Calma, jefe. No se desespere. Yo le dejé una tarea a Cota y en cualquier momento entra en la sala. Estoy segura de que hay una explicación para todo.

—¿Por qué estás tan segura?

—Tenga un poco más de paciencia, jefe. Necesito confirmar datos. Siga atando cabos en la evidencia, de seguro van a aparecer más cosas.

Aneth se retiró hacia la ventana y sacó su celular para hacer unas llamadas. Goya suspiró y se dirigió al baño. Mientras orinaba, pensaba en lo que le había dicho a Camila en la mañana. El gusano de la duda se escondía bajo el suelo de su pensamiento. Realmente quería limpiarse, pero tampoco se podía engañar. Lo había intentado varias veces sin éxito alguno. Y eso que había tenido el apoyo de su hija. Ahora, solo, la dificultad le parecía mayor. Se lava las manos, se moja el rostro y se da palmadas sobre las mejillas, tratando de espantar las dudas. De sus bolsillos saca el recipiente de naloxona y toma otra pastilla.

Goya sale del baño. El oficial a quien le había pedido que averiguara sobre la persona encargada del vestuario de Prosopos se le acerca. Le dice que, en efecto, hay una mujer encargada de ello y le entrega un papel con su nombre y un número de celular. Goya entonces recuerda que Viviana Casas había tenido un altercado en el mismo camerino de Rosales poco antes de que esta muriera. Goya vuelve a su escritorio y busca en sus apuntes el número de Federico Casas. Lo llama, pero nadie responde. Luego suena el buzón de voz. Goya cancela la llamada, se pasa la mano por el rostro, se preocupa, suspira y vuelve a llamar. Timbra una vez. Vuelve a timbrar. Entonces escucha la voz del doctor, quien se excusa por no haberle respondido antes. Se encontraba despidiendo a un paciente. Entonces le pregunta al inspector en qué lo puede ayudar y se extraña cuando este le explica la razón de su llamada. El doctor le responde que no recuerda que su esposa tenga unos tacones azules y que, si los tiene, no los debe usar mucho. El inspector le pregunta después si sabe la talla de calzado de su esposa y él le responde que, al menos por los zapatos que él le ha regalado, talla siete.

Goya cuelga la llamada sin siquiera despedirse. Observa que Aneth sigue hablando por teléfono y luego busca el tacón azul. Tras verlo con detenimiento, advierte que un número nueve, grande y claro, se muestra en la base del calzado. El inspector suspira y empieza a buscar información sobre la obra *La máscara transparente* en su computadora. Entre los resultados aparecen notas de prensa del día. En uno de los titulares se lee: «Fama y muerte». Le da un vistazo a la nota y advierte que se menciona la palabra homicidio, además de su nombre y el de su compañera como los encargados de la investigación. Maldice en su mente a Sotomayor, quien seguro ha dado declaraciones que debió guardarse. No sabe si su esposa y su hija leen la prensa con detenimiento, pero la nota no dejaba a los inspectores muy bien parados. Luego revisa imágenes de promoción de la obra. Al parecer se estrena mañana. Ya sabía que la sustituta de Paula sería la propia Nina, a quien recordaba en la pequeña tarima del bar, cantando boleros. Entre las imágenes reconoce la que vio en el teatro, con todo el equipo involucrado en el montaje y la representación de la obra antes del asesinato. Luego advierte otras fotos que, supone, deben ser de la misma sesión, ya que los rostros conocidos llevan la misma ropa, pero en las que aparece Smith con cada una de las estrellas principales de la obra, y otra en la que aparecen solo las últimas, sin Smith. Ahí ve a Ruiz, vestido de gala; a Rosales, con la bata de paciente; cuando Goya observa a Nina, su mirada se aguza. Calzaba unos tacones azules que cuando menos son muy parecidos al tacón encontrado en la escena del crimen.

Entonces vuelve a tomar el tacón. Lo observa y luego mira las fotos donde aparece Nina. No tiene un ojo entrenado para tacones; todos le parecen iguales, pero podría jurar que son el mismo. Vuelve a mirar la talla, el nueve grande y visible. De inmediato busca el papel que le había dado el oficial cuando salió del baño. Lo encuentra en un bolsillo, toma un teléfono y llama al número que aparece ahí. Después de unos momentos lo atiende una mujer de voz cordial. Goya le explica quién es, lo que está haciendo y la ayuda que necesita de ella. La mujer le pide que espere. Momentos después vuelve a escucharle y le dice que la talla de calzado de la actriz Catrina González es, en efecto, nueve. Goya le pide un último favor, conocer la talla de la difunta Paula Rosales: la mujer le indica que la de ella era cinco y medio, o seis, dependiendo del tipo de calzado, pero que la primera medida era la más común. Después de confirmar esta información, el inspector le agradece a la mujer y termina la llamada. Se levanta, entonces, para revisar los zapatos de Rosales. La mujer no se equivocaba, la mayoría era talla cinco y medio. Al poner el tacón solo al lado de uno de los de Rosales, repara en la diferencia considerable de tamaño. De cinco y medio a nueve hay una gran diferencia. No tanto así, de siete a nueve. Sin embargo, recordaba la estatura de Viviana Casas y no era ni más alta ni del mismo tamaño que Nina. Luego piensa en esta última, recuerda la vez que la vio durante el funeral de Rosales, llevaba también tacones y se veía muy alta; luego recuerda verla cantando la noche anterior, manejando con considerable facilidad el cuello de la guitarra española. Por último, recuerda la vez que se apareció en la estación, toda mojada. Sí, esa vez cojeaba de un pie. Pero no estaba seguro de si era el pie derecho.

Goya revisa sus apuntes sobre la entrevista con Nina. Según su coartada, antes de ir al teatro, donde encontraría el cuerpo sin vida de Rosales, había estado en el gimnasio. Sin embargo, cualquier mención al respecto había sido omitida por Nina en la primera declaración. Y ya había ocurrido antes, haya sido intencional o no. Fue lo que ocurrió con la mención del altercado entre Viviana Casas y Paula. Ahora, Goya se pregunta si no existirá la posibilidad de que el asesino fuese una mujer. Nina era alta y con buen estado físico. Goya toma la decisión de que debe reunir aquí a Cota, Márquez y a Sotomayor.

24

MOMENTOS MÁS TARDE, los cinco se encuentran reunidos en la sala. En primer lugar, Goya reprende a Cota por el descuido del tacón solitario, que muy probablemente pertenecía a Catrina González y que hubiera encaminado la investigación por otra dirección. A partir de ahí, comenzó a explicar de manera detenida lo que fue descubriendo, las razones que tenía para pensar que dicho tacón pertenecía a Nina y les comentó, además, su visita al teatro en la mañana y el hecho de que Nina ahora sería la actriz principal.

—Por lo tanto —decía Goya—, debemos preguntarnos si es absolutamente imposible que una mujer sea la asesina de Rosales. Pensemos en las características físicas de Catrina González. ¿Pudiera ella ser la culpable?

—Jefe Goya —intervino Márquez—, estoy de acuerdo en que Cota tuvo un gran descuido con ese detalle, pero he revisado de forma exhaustiva el informe en el que expone esa idea, así como las fuentes, y coincido completamente con sus conclusiones. Es imposible que haya sido una mujer.

—¿Pero no pudiera ser esta una excepción? —preguntó Sotomayor.

—O es una cosa o es la otra —dijo Cota, quien le entrega a Castillo un sobre.

Hubo un silencio. Aneth tomó el sobre, lo abrió y sacó de él unos documentos que ojeó muy rápido.

—Creo que, de cierta forma —dijo Aneth—, las dos cosas son posibles.

—Por favor, explíquese, inspectora —dijo Sotomayor.

Aneth reunió varios de los documentos que había estado revisando.

—Vayamos por partes —dijo—. El cadáver fue encontrado en el camerino. Sabemos que la entrada a este no fue forzada de ninguna manera y que Rosales tuvo que haber dejado entrar a la persona que la mató, por lo que podemos decir que la conocía íntimamente. Asumiendo que tuvo que haber sido un hombre, tenemos que descartar a Iván Ruiz porque se encontraba con Nathan Smith en el momento en que Nina halló a Rosales muerta. Además, tanto Iván como Nathan habían estado con Paula más temprano, trabajando en la obra. Y ninguno perdió de vista al otro después de que Paula abandonara la sala para ir a su camerino. Esto los descarta a ambos como sospechosos. Ellos se habían quedado discutiendo la obra y más tarde escucharían los gritos de Nina. Por lo tanto, en teoría, ellos serían los últimos que vieron a Rosales con vida.

Aneth carraspeó y tomó un poco de agua de un vaso que tenía cerca.

—Por otro lado —continuó—, tenemos a Antonio Luque. Ahora entiendo lo que decía el jefe Goya con respecto a él: tiene el perfil perfecto para ser el culpable. Pero no tiene el fundamental. No estaba en la ciudad en el momento del crimen. Más temprano corroboré con las autoridades del puerto la presencia de Luque. Si pensáramos que pudo haber enviado a alguien para matar a Rosales, ¿a quién? Sabemos que Rosales dejó entrar al homicida. Ningún matón pudo haber entrado de la forma en que, aparentemente, entró el asesino. Eso nos deja con Federico Casas. Cierto es que su esposa, Viviana, había tenido un altercado con la víctima. Sin embargo, como mencionó el jefe Goya, el tacón azul no puede ser de ella. Y aunque por un momento consideramos que podrían haber conspirado los dos, ocurre lo mismo que con Luque. Corroboré la coartada de Casas. Sí estuvo con un grupo de amigos durante la tarde, hasta las tantas de la noche. Y si le hacemos caso al informe, Viviana no pudo haber sido.

—Inspectora, no sé a dónde quiere llegar —interrumpió Márquez.

—Primero —dijo Aneth—, quiero que se pregunten lo siguiente. ¿Quién nos llevó a mí y al jefe Goya a investigar a Federico y Viviana Casas? Nina. ¿Quién nos llevó a investigar a Antonio Luque? Nina. Smith y Ruiz fueron los únicos que investigamos sin información de ella y a los dos ya los hemos descartado. Más preguntas. ¿De quién es el tacón azul, muy probablemente? De Nina, quien, además, cojea del pie derecho, eso sí lo recuerdo. Créanme, si se te rompe el tacón mientras apoyas tu peso sobre él, te doblarás el tobillo y te va a doler. Por último, ¿quién fue la primera en ver a Rosales muerta? Nina también.

—Castillo —intervino Goya—, estoy de acuerdo con todo lo que dices, pero los señores aquí descartan que ella haya sido la culpable, simplemente, porque es mujer.

—¡Y es por eso por lo que todos se equivocan!

—¿Cómo? —exclamaron los cuatro a la vez.

Aneth se detuvo un momento para retomar el aliento y ordenar sus ideas.

—Como sabemos —dijo al fin—, Paula Rosales era huérfana

y pasó una parte considerable de su infancia en un orfanato. Cuando, más tarde, los Rosales, quienes le dieron el apellido, la rescataron de la calle, también recibieron a un niño. En mis averiguaciones del día de hoy he podido determinar que este mismo niño, pocos años mayor, también estuvo con ella en el orfanato y hasta se les consideraba hermanos. Este niño fue objeto de burlas muchas veces porque le gustaba hacer las mismas cosas que a las niñas. Le gustaba maquillarse y fantasear con un príncipe azul. Le gustaba jugar a ser actor y actriz, y le contagió su gusto a la pequeña Paula. Pero un día el niño decidió escapar del orfanato y llevarse a Paula con él, después de vivir algo que los perturbó y cambió completamente, según el testimonio de empleados del orfanato. Lo que les sucedió nunca se supo, pero tuvo lugar en un evento «privado», con miembros del clérigo y otros personajes con poder económico que financiaban a esta institución. Este niño se llamaba Ángel y desapareció tiempo después de que los Rosales los rescataran a ambos de la calle. Por aquellos días, el orfanato sufrió unos daños que arruinaron completamente su estructura administrativa, lo que causó su posterior cierre. Los registros y documentos legales de los niños se perdieron. Es de pensar que los Rosales, que en algún momento gozaron de un gran privilegio económico, tenían muchos contactos en el área legal. La falta de documentos seguro facilitó la adopción de los Rosales, suponiendo que se tenga a los abogados apropiados.

—Es cierto —intervino Sotomayor—. Por aquellos días el Gobierno promulgó unas políticas excepcionales para ayudar a solventar la crisis de niños indigentes que vivió la capital después del cierre del orfanato.

—Exacto —retomó Castillo—. Pero para entonces ya Ángel había desaparecido, por lo que nunca existió legalmente ni tuvo el apellido de los señores. Cinco años después, encontramos a una adolescente Paula Rosales empezando su entrenamiento de actuación en un grupo vinculado al famoso actor Horacio Vitto, quien se encontraba saliendo de una mala racha provocada por acusaciones de pederastia. Se cree que las primeras acusaciones, las cuales fueron sin duda descartadas por increíbles, se remontaban hasta tres o cuatro años atrás. En este mismo grupo se hallaba otra adolescente que buscaba formarse en el teatro, Catrina González.

Aneth empezó a buscar en la pila de documentos. Los hombres la miraban a ella y se miraban entre sí con absoluta intriga.

—Cuando visité el apartamento de Rosales —dijo Castillo —, me llamó mucho la atención una gran cantidad de copias de documentos que guardaba en un armario, en su estudio. Buena parte de estos documentos están relacionados a una aseguradora, Seguros Única, que, como supe luego, estaba vinculada con la fundación para niños de la calle que Rosales había creado. Muchos de estos documentos son informes médicos de niños de la Fundación Familia. Lo que no sabía era que esta misma aseguradora tuvo otro nombre y otros dueños, varios años antes, cuando estaba relacionada al orfanato donde Rosales pasó parte de su infancia. Por entonces se llamaba Seguros Vital y era propiedad de la familia Vitto, la misma familia del actor. Entre los documentos, había unos que databan de algo más de cinco años atrás. Pero la fundación de Rosales empezó hace un poco más de un año, máximo dos, y estos documentos no se referían a ella. Se referían a una persona llamada Ángel González. Los más viejos cubren el monto para tratamiento de hormonas. Y el último, una cirugía muy costosa de cambio de sexo. Buscando con más detenimiento, encontré documentos más viejos, con el nombre anterior de la compañía, relacionados a la misma persona.

Entonces Aneth separó un documento de los otros y se los pasó a sus compañeros.

—Y mi sorpresa fue total cuando encontré esto. Una copia de un documento legal en el que Horacio Vitto se declara el representante legal y guardián de un tal Ángel González, de catorce años.

El silencio era total. Aneth volvió a tomar agua y sintió nervios, esperando la reacción de sus compañeros, pero estos no decían nada.

—Comparando —continuó ella— el informe del incendio ocurrido en la residencia de Horacio Vitto y el ocurrido en el orfanato, las semejanzas son impresionantes. Algo me dice que Vitto formó parte del evento que tanto cambió a Paula y Ángel. Toda la evidencia que he revisado sugiere que Ángel González desapareció de la residencia de los Rosales, quizá de forma voluntaria, quizá por amenaza, para vivir en la calle y, para su desgracia, Vitto dio con él de alguna forma. No sabría decir si Ángel llegó a vivir con Vitto todo el tiempo, pero lo dudo. Sin embargo, lo que sí queda claro, por los documentos, es que le interesaba mantenerlo en perfecta salud para poder satisfacer sus propias perversiones con el pobre joven. Seguro lo vestía, le pagaba una vivienda y alimentación, después de todo, era su protegido. Pero es de suponer que estos documentos legales no estaban en posesión de Ángel. De otra manera, Vitto no tendría cómo chantajearlo y hacerlo acceder a sus bajezas. Lo cual me lleva a pensar que, en primer lugar, de alguna manera Ángel pudo recuperarlos de las manos del actor; en segundo lugar, Rosales estaba al tanto de todo esto, pues los documentos estaban en su apartamento. El jefe Goya me habló de rumores que decían que el incendio fue producido por el mismo Vitto para desaparecer evidencia que lo vinculara con las acusaciones de pederastia, para luego desaparecer del mapa. Pero, tomando en cuenta todo esto, existe la posibilidad de que fuera Ángel quien, con total perspicacia e incapaz de tolerar la miseria de su situación, matara a Vitto y luego borrara cualquier rastro con el incendio, salvando únicamente los documentos legales que le daban existencia y que quizá le permitirían gozar de una retribución económica. Claro que para entonces ya había asumido una nueva identidad. Ya no era Ángel. Ahora era Catrina González.

Aneth podía percibir el desconcierto en los ojos de sus compañeros, en especial en Goya y Sotomayor, quienes claramente encontraban a la actriz muy atractiva, pero ahora se hallaban en pugna con sus propios prejuicios. Y en verdad Nina era atractiva. El tratamiento de hormonas y la operación habían dado el toque final. Pero aún conservaba el vigor masculino. Rosales era el testimonio. Pero no le había sido fácil. Después de confirmar sus sospechas con los documentos que guardaba Paula Rosales, Aneth entendió a Nina, entendió su rabia, su desolación, aún peor que la de Rosales, porque, de seguro, si hubiera nacido con un cuerpo de mujer, sus compañeros no tendrían las caras que tienen ahora. Si hubiera nacido con cuerpo de mujer, seguro no hubiera tenido que pelearse tanto con otros niños, ni hubiera tenido que recibir los regaños de tantos adultos, cuando solo trataba de ser ella misma, ella con cuerpo de él.

—Nina tuvo que vivir toda su vida a la sombra de Paula —dijo Aneth—, aun cuando ella fue quien le hizo descubrir esa pasión. El talento y la hermosura de Paula eran completamente gratuitos. Eran dones con los que había nacido. Y, sobre todo, había nacido mujer. Pero Nina tuvo que luchar y pelear, literalmente, por esas cosas, solo para encontrar que al final era Paula la que alcanzaba el éxito y no ella. Años y años soportando abusos, cuidándola, y, a la vez, albergando una envidia secreta. Sus sentimientos encontrados hicieron una bomba de tiempo que explotó cuando Paula decidió volver a la obra, cuando ya el director Smith, como explicó el jefe Goya, preparaba a Nina para el papel principal. Esa tarde quizá nunca dejó el teatro, esperó pacientemente a que Paula entrara a su camerino. Ni siquiera se molestó en cambiarse. Tocó la puerta, entró, la observó mirándose al espejo como una diva y no lo soportó. Rompió el espejo del tocador y cuando ella volteó la comenzó a ahorcar con sus manos. Como Rosales se encontraba en buena condición física, trató de zafarse, pero Nina la volvió a capturar por detrás, esta vez con sus brazos, y fue allí cuando el tacón derecho se rompió y ambas cayeron al piso, Rosales sobre Nina. Ahí le aplicó todas sus fuerzas, hasta que Paula exhaló el último aliento. Quizá Nina terminó más alterada de lo que esperaba y salió cuanto antes, olvidando el tacón azul roto. Entonces se cambió, salió, dio unas vueltas y volvió al teatro, saludando a Ruiz y al director, para luego montar la escena de descubrir el cadáver de Rosales.

Los hombres habían escuchado con atención y sorpresa todo el relato de Castillo. Lo último que se esperaban era semejante intervención, que produjo en ellos toda una variedad de emociones. Aunque todavía no decían nada, los cuatro estaban de acuerdo en que la hipótesis de Aneth era la más plausible y convincente de todas las que habían ido ensayando a lo largo de la investigación. Revisando los documentos que ella había separado se daban cuenta de que los hechos fundamentales sobre la historia de Nina eran ciertos. Ahora solo quedaba abrir una investigación formal en su contra, como presunta culpable del asesinato de Paula Rosales, lo cual significaba que tenían que ubicarla, ir por ella y detenerla. Mañana sería el estreno de la obra, quizá el momento que ella más había esperado en su vida. Aneth y

Goya sabían que Nina no se perdería por nada del mundo ese momento, por lo que estaban seguros de que no escaparía.

—Muy bien, Aneth —dijo Goya—. Me has convencido. Pero si todo lo que has dicho es cierto, o al menos lo más importante, tenemos que escucharlo de ella misma. Tenemos que traerla, interrogarla formalmente, hacer que confiese. Solo así será un trabajo perfecto, un caso resuelto, limpio y pulcro.

—Está bien, jefe —replicó Aneth.

—Dime Goya. Ya basta de usted y de jefe. Me hace sentir más viejo de lo que ya soy.

—Está bien, Goya. Busquemos a Nina entonces.

25

CATRINA GONZÁLEZ VIVE en la desesperación, padece su miseria intolerable y jamás podría soñar con una vida larga si no hallara un alivio, así sea tan solo momentáneo, de sus incesantes golpes. Cada mañana, cuando se miraba al espejo, se felicitaba de lo lejos que había llegado. Solo ella sabía lo que le costó. Y, sin embargo, el desasosiego no dejaba de merodear las profundidades de su alma. Entonces sentía la ponzoña de la insatisfacción, su veneno casi imperceptible, y enseguida tenía que tomar fuerzas y domar las turbulencias de su espíritu. Solo así podía continuar con su día, solo así podía convencerse de que sus sueños valían la pena y que eran posibles. ¿De qué puede ser capaz una persona para huir de la desesperación? De mucho, sin duda. Eso lo sabía ella muy bien. Acaso sea más preciso decir: de todo, se es capaz de todo. Hay acciones de las cuales no se pueden volver.

Claro, no siempre podía presenciar ese momento que le fascinaba, el momento de la transformación vespertina, en que el día se convierte en noche. Pero entonces le bastaba saber que existía, que estaba sucediendo, aunque ella no estuviera ahí para verlo. Le bastaba con estar consciente, de saber la hora, dependiendo de la temporada, del mes, pero que en todo caso nunca era menor a las cinco de la tarde ni nunca mayor a las ocho de la noche. No importaba si estaba en un ensayo o en el tren subterráneo. Podía decirse a sí misma «es hora, está pasando», y con ello sentir el alivio y la justificación que necesitaba. Por mucho tiempo se tuvo que conformar con saber que ciertas cosas eran posibles, que pasaban, así no le pasaran a ella. Así fue por mucho tiempo su relación con Paula. Que ella fuera feliz aunque Nina tuviera que vivir en la miseria. Que ella sepa lo que es el cielo aunque la vida de Nina fuese un infierno. Que ella fuera la niña que Ángel no podía ser, la joven que Catrina aspiraba y, por último, la mujer con la vida que Nina soñaba, una vida de glamur, de viajes, de sesiones de fotos, de fama, de admiradores, de alfombras rojas, de festivales, de entrevistas, de rodajes. Que Paula estuviera en el foco de atención del público aunque el lugar de Nina estuviera muy lejos de él. Pero Paula nunca supo agradecerle todo lo que hizo por ella. Y lo único que Nina le había pedido era que se tomara un tiempo para organizar su vida, que se tomara un descanso de Prosopos, que le diera la oportunidad de tener el papel principal. Después de todo, ya ella era conocida y ya tenía muchos otros proyectos esperando. Podía prescindir de *La máscara transparente*. Nunca le había pedido nada de corazón, solo esto. Pero ella tenía que creerse una diva, irreemplazable, tenía que querer tenerlo todo, como si no tuviera suficiente, no dejar nada para nadie. Si Paula, por quien había hecho tanto, no fue capaz de hacer eso por ella, entonces no podía esperar nada de nadie. Si no podía ser su aliada, entonces se convertía en un obstáculo.

Desde su ventana, Nina presencia la desaparición de ese instante que adora. Había apagado todas las luces de su apartamento para verlo cubrirse poco a poco por el manto de la noche. Piensa en la primera vez que sintió esto, cuando todavía no estaba en el orfanato y era una criatura de la calle, indeterminada, que algunos creían que era niño, y otros, niña, por su pelo, largo y sucio, y por su rostro de facciones delicadas. Recuerda cómo se escabullía a menudo en el Teatro Imperial, donde, por entonces, ensayaba todos los días un grupo de *ballet* clásico. Recuerda mirar a las bailarinas como en un trance, hipnotizada por la gracia de sus movimientos. Recuerda verlas maquillarse y arreglarse. Hasta que un día, uno de los productores reparó en su presencia, y la hubieran sacado si no fuera por una de ellas, la bailarina principal, que al conmoverse por su rostro y su pelo largo le pidió que la dejara quedarse. Esa fue la primera vez que alguien la trató con cariño. Al ver la curiosidad con que la veía, la mujer le limpió la cara y la maquilló mientras le hablaba en un idioma que desconocía. Esa tarde, después de su ensayo, la bailarina la llevó a su cuarto de hotel para alimentarla, bañarla y darle una ropita más nueva. Mientras la desnudaba para meterla en la ducha, Nina notó su rostro de confusión cuando se dio cuenta de que era un niño. Por un momento, el rostro y la mirada de la bailarina, que hasta entonces había sido solo de compasión y de afecto, pareció de decepción y tristeza. Lo metió a la ducha y salió del baño. Mientras se bañaba, la criatura derramó amargas lágrimas porque pensaba que había hecho algo malo. Cuando salió, encontró a la bailarina sentada en la cama. El amor había vuelto a su expresión. La mujer la abrazó fuertemente, hablando con una voz suave y tierna, diciendo cosas que no podía entender. Fue entonces cuando la criatura reparó en la habitación: toda ella se encontraba bañada en esa luz tenue y extraña, propia de cuando ya se extingue la tarde; vagamente podía distinguir la cama de la mesa de noche, del armario; casi no podía distinguir a la mujer de sí. Todo simplemente se fundía en ese abrazo y en ese sentimiento cálido que producía. Entonces sintió que todo estaba bien. Al día siguiente, la mujer ya se iba a otro país. Dejó a Nina en las puertas del orfanato y la abandonó con lágrimas en los ojos.

El momento se ha ido. Hoy pudo ser testigo de él. Pudo disfrutarlo. Ahora, una noche muy despejada se instala. Una que otra estrella se hace visible.

Nina prende una lámpara para iluminar parcialmente la sala del apartamento. Está preocupada. Sabe que los inspectores todavía no han resuelto el caso. Goya no había usado esas palabras textuales la noche anterior, pero por lo menos dio a entender que no estaban nada convencidos de arrestar a Antonio Luque o a Viviana Casas. Debió planearlo mejor, trabajar más profundamente en la incriminación. Con Vitto había sido mucho más fácil. Las circunstancias eran favorables, muy distintas a las presentes. La verdad es que nunca pensó que tendría que matar a Paula. Si le hubieran dicho hace un año que eso pasaría, no lo habría creído. Meses atrás, ya la cosa era distinta. Ella, que conoció a Paula casi toda su vida, sabía muy bien lo mucho que había cambiado en los últimos cinco años, cuando comenzó a hacerse famosa, cuando las llamadas de revistas y de productores empezaron a rebosar, cuando se vio obligada a comenzar a rechazar propuestas. Esto, en parte, había sido beneficioso para ella, quien sacaba algún trabajo o algún papel gracias a esos rechazos. Claro, nunca como sustituta de Rosales, el papel para el cual hacía la audición. Pero algo era algo. Aunque en los últimos meses se había vuelto intolerable. Ya ni siquiera se molestaba en pretender que le importaba su existencia y solo la buscaba cuando la necesitaba para algo. Ni siquiera se molestó en felicitarla por su cumpleaños, como una perfecta extraña, ella, que no había hecho más que defenderla y ayudarla durante toda su vida. Paula Rosales ya había muerto.

Si no lo hubiera hecho ella, habría sido Iván, quien era incapaz de decirle no, incluso a sus juegos de asfixia erótica. Y si no era él, eran las drogas y el alcohol. Y de no ser eso, el mismo Luque, cuando se diera cuenta de que no dejaba de engañarlo. Era una bomba de tiempo, un auto sin frenos por una bajada peligrosa, un accidente esperando ocurrir. Ahora Nina piensa que quizá debió esperarla, o, mejor dicho, esperar a que ella misma encontrara la muerte. A lo mejor ha cometido un error grave. Ahora se pregunta si acaso Paula guardaba documentos que podían revelar su identidad previa. Ella lo ha desaparecido todo. Para el mundo es, y siempre ha sido, Catrina González.

Un cansancio antiquísimo se asienta sobre Nina. El desasosiego se apodera de su alma. Siempre escapando de algo, siempre encubriendo un secreto, siempre acechada por algo. Quiere acabar con todo. Pero solo después de mañana, solo después del estreno, solo después de haberse parado en el medio del escenario, cerca del borde, y escuchar el estruendo de aplausos resonando en el Teatro Imperial, solo después de ver semejante audiencia de pie, aclamándola. Solo después de escuchar tras bastidores los aplausos y silbidos de la audiencia, pidiéndole que vuelva a salir, y de dejarse agasajar un poco más por su ovación. Únicamente después de que todo ello suceda, entonces que pase lo que tenga que pasar. Si la Policía descubre que ella es la asesina, qué importa, con tal de que haya tenido tiempo de vivir aquello, una o varias veces. Y si la hiel de la insatisfacción todavía la corroe por dentro, entonces que sea ella misma quien acabe con su propio sufrimiento, que sea ella misma quien asuma la soberanía de su vida al decretar el momento, el lugar y la forma de acabarla. Y entonces todo será silencio, quietud, paz.

Nina se sienta en un escritorio cerca del balcón. Prende su portátil y abre un archivo de texto. Escribe unas líneas y luego guarda el archivo en una carpeta con escritos similares, pero no lo cierra, en caso de que se le ocurra algo más que agregar. Luego abre una gaveta. De ella saca una pistola reluciente. La toma en su mano, siente su peso. Luego la pone sobre el escritorio, saca el cartucho de balas. Está completamente cargado. Lo vuelve a poner y desliza el cañón. Luego la deja sobre el escritorio y piensa que, si nada de lo que quiere hacer funciona, este será su último recurso, la solución final. Luego se voltea y mira por el balcón. Observa la silueta de los grandes edificios que se ven al fondo. Toma una libreta y un lápiz y empieza a dibujar esa silueta. Le provoca seguir dibujando, pero está ansiosa. Es el estreno de mañana. Conoce el personaje y sus líneas a la perfección. Sabe que su interpretación es tan buena o mejor que la de Paula. ¿Pero qué tal si al público no le gusta? ¿Qué tal si la sombra de Paula se cierne con más saña sobre ella?

Entonces escucha que tocan a su puerta.

Nina no espera a nadie. Se extraña. Decide entonces mantenerse en silencio. Vuelven a tocar. Quizá sea algún vecino, mejor fingir que está dormida.

Vuelven a tocar a la puerta.

No sabe qué hacer. Se imagina lo peor. Maldice su suerte. Se pregunta por qué no se esperaron a mañana, por qué no le dieron esa oportunidad.

—Señorita Catrina González —grita la voz de una mujer mientras toca la puerta de nuevo.

Nina siente un nudo en la garganta. Se contiene. Sus ojos se llenan de lágrimas y estas empiezan a caer por sus mejillas. Se pregunta por qué. Siente una tristeza infinita y una opresión en su pecho. Maldice a la vida por injusta. Toma el lápiz y escribe algo debajo del dibujo que acababa de hacer.

—¿Está ahí, Nina? Somos los inspectores Castillo y Goya —grita la mujer desde el otro lado.

Al parecer, después de todo, no tendrá la oportunidad con la que tanto soñaba. No se parará en el escenario ni mirará la sala llena, a la audiencia de pie, no escuchará sus aplausos. Entonces reniega de todo y de todos y los manda al infierno en su pensamiento. Con una mano se limpia las lágrimas, se recompone. No se los va a hacer fácil. Respira profundo.

Vuelven a tocar a la puerta.

—¿Quién es? —grita con voz fingida.

—Buenas noches, señorita González. Somos los inspectores Castillo y Goya —grita la voz de una mujer.

Sus sentidos se aguzan y la piel se le eriza. Toma la pistola y se levanta. Luego se acerca al pasillo de la entrada, pero mantiene cierta distancia.

—Inspectores —dice—, qué pena, ya estaba en cama, dormida, no los puedo recibir ahora.

—Nina, necesitamos hablar con usted —dice Castillo—. Lo lamentamos, pero esto no puede esperar.

Nina ya sabe por qué no puede esperar. Su garganta se seca, el ritmo de los latidos de su corazón aumenta. Conservando la distancia, se coloca de frente a la entrada. Toma la pistola con ambas manos y apunta hacia el centro de la puerta.

—Lo siento mucho, cariño —dice—, pero mañana me espera un gran día. Y muy largo también, tengo que madrugar y necesito dormir. Mañana por la noche los puedo atender con mucho gusto.

Hay un silencio. Nina traga saliva, pero le parece que traga tierra. Todavía no pierde la esperanza de que le den tiempo hasta mañana en la noche.

—Nina —grita Goya—, sabemos que mató a Paula Rosales. Sabemos que usted y Ángel González son la misma persona.

El aire pareciera haber adquirido consistencia sólida. Nina

puede escuchar sus propios latidos retumbando en todo su cuerpo. Carga la pistola y escucha dos clics del otro lado de la puerta.

Nina pensó en el abrazo de la bailarina, en las noches que durmió abrazando a la pequeña Paula para protegerla del frío de la ciudad. Por alguna razón, pensó en Goya y en la expresión de deleite en su rostro mientras le dedicaba su interpretación de *Lágrimas negras*.

Entonces abrió fuego, sin clemencia, sin perdón. Los disparos también llovieron desde el otro lado. Las ráfagas atravesaron desde ambos extremos la puerta de la entrada de su apartamento, acompañadas de un estruendo que resonó en todo el edificio, e incluso en toda la manzana.

26

ANETH SOLO ESCUCHA un zumbido en sus oídos. El tiempo parece pasar lentamente. Su cabello tapa parte de su visión. Su espalda se apoya en la pared frente a la puerta del apartamento de González. Sus piernas, algo flexionadas, tiemblan. Solo su brazo izquierdo permanece estirado, apuntando, también tembloroso. Puede ver el humo salir con parsimonia de la punta del cañón. Su corazón golpea con fuerza, un golpe opaco; su respiración entrecortada hace temblar su mandíbula. Advierte que su brazo derecho está flexionado y sangra, pero no siente dolor. Observa de nuevo la puerta. Son numerosos los agujeros de bala que la cubren y hasta le han arrancado pequeños trozos. Haces de luz se cuelan por los agujeros. No es mucho lo que alcanza a ver del otro lado, pero no ve a nadie.

Mira a su lado y ve a Goya en el suelo, aunque parte de su tronco, sus hombros y su cabeza se recuestan en la misma pared. Tiene la mirada perdida, apenas puede abrir los ojos, está cubierto de sangre. Más allá, con una mirada horrorizada, ve a los oficiales de apoyo entrando por las escaleras.

Aneth grita el apellido de su compañero, pero solo escucha un ruido enmudecido dentro de sí y termina de caer de rodillas para saber su estado. Tiene pulso, respira con dificultad. Ella grita pidiendo apoyo médico, unos oficiales llegan a socorrer a su compañero y también a ella, y otros más ingresan en el apartamento de Nina.

Cuando logra ponerse de pie con ayuda, el dolor aparece de repente, punzante, en su brazo derecho, en el costado izquierdo de su abdomen y en el muslo del mismo lado. No se explica cómo puede mantenerse de pie o siquiera estar viva. Los oficiales tratan de contener el desangramiento que sufre el jefe Goya en su estómago y cerca de su hombro derecho. Él voltea a mirarla y levanta la mano mostrando el pulgar hacia arriba. Aneth experimenta un ligero alivio y asiente. Luego se da cuenta de que un oficial ha estado preguntándole algo y lo aparta con el brazo diciendo que está bien. Es entonces cuando decide entrar al apartamento de González.

Empieza a cruzar la entrada y al fondo ve a unos oficiales de rodillas, tratando de auxiliar a alguien. Le dan la espalda a Aneth y observan hacia el suelo. Cuando se acerca más, los oficiales voltean y al advertir su presencia abren espacio para que ella observe también. En el suelo está Nina, ensangrentada, con varios impactos de bala en el cuerpo. Expulsa sangre por la boca y tiene espasmos musculares. Aneth la observa, pero no siente odio. Cuando Nina se percata que la inspectora está allí, una ligera sonrisa parece adornar su rostro. Entonces tartamudea, trata de decirle algo. Aneth se acerca.

—Parece... —dice Nina, tiritando— que me descubrieron..., cariño.

Una gran contracción pareció poseerla y luego dejó de respirar. Ahí estaba, con los ojos abiertos, sin vida. Como también lo estuvo Paula. Aneth se preguntó qué sería de su vida si hubiese tenido que atravesar las mismas cosas que Nina experimentó. Habrá quien piense que se dejó corromper por el mundo porque fue capaz de quitarle la vida a otra persona, una persona muy cercana a ella, además. Pero luego, ¿no pudo también haberse convertido en alguien mucho peor, en un verdadero monstruo? Como aquellos capaces de practicar las torturas más terribles sobre sus víctimas antes de matarlas. Quizá el pasado de las personas no pueda justificar sus acciones presentes. Quizá no pueda legitimarlas de manera definitiva. Pero al menos puede ayudar a comprenderlas, a darles un sentido. Y eso por lo menos nos ayuda a continuar con nuestras vidas.

Aneth le dio un vistazo a la sala. Cerca del balcón vio una portátil sobre un escritorio. El reflejo en la ventana le mostraba que estaba encendida. Se acercó y observó un archivo de texto abierto. Lo leyó. Luego vio, a un lado de la portátil, un cuaderno abierto con un dibujo. Tenía algo escrito:

«pobre alma en desconsuelo que marcha errante con una identidad perdida».

Luego Aneth se dirigió a la habitación de Nina. Encendió la luz, la cama se hallaba tendida. Encima vio un bolso tejido como el que Paula tenía sobre su cama. Ahora sabe que los hizo ella y que había aprendido a tejer con América. El clóset estaba cerrado. Lo abrió. Sobre una pequeña hilera de pares de zapatos vio un tacón azul solitario que correspondía al pie izquierdo. Entonces un par de paramédicos entraron a la habitación y asistieron a Aneth.

27

Al salir del edificio, vio al jefe Goya sobre una camilla. Lo estaban introduciendo a una ambulancia, en la cual ahora ella entraba con ayuda de los paramédicos. Durante el trayecto, Goya la observó con algo parecido a una sonrisa. A veces parecía quedarse dormido. Aneth entonces miraba preocupada al paramédico, pero este le decía que iba a estar bien. Cuando llegaron a emergencias, sacaron de inmediato a Goya y lo llevaron directo al quirófano. Luego bajaron a Aneth y la sentaron en una silla de ruedas. Un enfermero la llevó a una sala general con muchas camillas, la mayoría ocupadas, y la ayudó a acostarse en una de ellas. Momentos después llegó un doctor a examinarla. Tenía una bala alojada en el brazo derecho. Otro disparo rozó su mejilla derecha, causando un corte superficial. En la zona del abdomen, del costado izquierdo, otro disparo la había rozado, pero el corte en este caso era mucho más profundo. Lo mismo había ocurrido con el muslo. Lo primero que el médico hizo fue retirar la bala de su brazo, lo cual le causó un gran dolor, pero pudo aguantarlo. Tanto en el abdomen como en el muslo tuvo que aplicar puntos. Había tenido suerte. El impacto en el brazo, que era el más grave, requeriría rehabilitación, pero iba a quedar bien. Al dejarla, el doctor le recomendó que permaneciera acostada y descansara. Ella, pensando en el estado de su compañero, ya mayor, no pudo hacerle caso. Trató de entrar al quirófano, pero no se lo permitieron, así que le tocó esperar en el pasillo, donde buscó un lugar para sentarse.

Pasó un tiempo que a Aneth le pareció una eternidad, cuando por fin salieron los doctores del quirófano y, tras ellos, Goya en una camilla. Se acercó a los doctores para preguntar por el estado del señor, y estos, advirtiendo su cercanía, le notificaron que estaba fuera de peligro y que necesitaba descansar. Siguió entonces a los enfermeros, que lo llevaron hasta una habitación, pero no la dejaron entrar. Así que, nuevamente, tuvo que esperar afuera. Poco después vio la figura de Sotomayor al final del pasillo y, tras él, a una mujer joven que nunca había visto antes, o que al menos no reconocía. Sotomayor señaló en dirección de Aneth y luego se retiró. A medida que se acercaba la mujer, podía advertir que debía ser más o menos de su edad. Se acercó un poco más y pudo distinguir preocupación e indecisión en su rostro. Cuando llegó a la puerta de la habitación, ya Aneth sabía que era la hija de Goya, Laura. Ella trató de mirar por la ventana, pero las cortinas estaban cerradas. No sabía qué hacer, o por lo menos eso le pareció a Aneth.

—Los doctores —dijo— me aseguraron que va a estar bien, pero que necesita descansar.

La mujer la miró, asintiendo con lentitud. Se llevaba una mano a la boca, como si quisiera decir algo, pero sin saber qué.

—Deberías aprovechar y entrar un momento —dijo Aneth—. No creo que nadie pase.

La mujer volvió a asentir. Respiró profundo y entró sigilosamente a la habitación. Aneth trató de imaginarse lo que podía estar sintiendo en ese momento Laura, pero estaba demasiado agotada y, en su lugar, recostó la cabeza hacia atrás y cerró los ojos. Tuvo una breve ensoñación. La despertó el crujir del asiento a su lado. Era Laura. Aneth podía ver que estaba conmocionada. Ambas permanecieron en silencio un rato.

—¿Cómo lo viste? —dijo al fin Aneth.

—Bien —respondió ella—. Está flaco y viejo.

Laura rio y se llevó las manos a los ojos y respiró profundo.

—Tu padre... —dijo luego—. ¿Cómo le está sentando la edad?

—Técnicamente —respondió Aneth—, ya no le hace efecto.

Laura la miró extrañada.

—Está muerto —replicó Aneth.

—Dios mío, soy una tonta, lo siento mucho —dijo Laura, avergonzada—. Eso fue muy imprudente.

—Está bien, no tenías por qué saberlo —dijo Aneth.

Se empezó a reír y Laura también.

—¿Lo extrañas? —le preguntó Laura.

—No te imaginas cuánto.

Laura asintió y otra vez parecía que iba a llorar. Estuvieron en silencio otro rato hasta que, finalmente, Laura se levantó.

—Gracias —le dijo.

Aneth la miró, asintiendo. Sin decir más, Laura se retiró. Cuando desapareció del pasillo, Aneth solo podía pensar en cuánto se alegraría Goya al enterarse de la breve visita de su hija. Quizá, ni siquiera le creería.

En ese momento, una llamada llegaba al celular de Aneth. Era Vicente. Cerró los ojos y respiró profundo. Caminó por el pasillo y salió a las escaleras. Ya el celular no recibía ninguna llamada y entonces fue ella quien lo llamó. Una timbrada, dos, y cuando ya iba la tercera contestó un hombre.

—Hola... —dijo Aneth con una voz muy tímida—. Tenemos que hablar...

EPÍLOGO

«ESTÚPIDOS TAXIS DE MIERDA», pensó Goya después de que uno se negara a llevarlo al Centro. Le decían que a esa hora de la mañana el tráfico era imposible, y con la lluvia, mucho peor, que ninguno lo llevaría hasta allá. Entonces tuvo que resignarse al tren subterráneo. En la estación el calor era insoportable por la cantidad de gente. Y, para colmo de males, tenía el brazo inhabilitado y sensible. Ya sabía que hacer lo correcto siempre era lo más difícil, pero esto era ridículo. Los trenes pasaban repletos. Por suerte, los de la tercera edad tenían más espacio. Y con el brazo así, y esa cara de amargado, ¿quién iba a decirle que no podía usarlo?

En fin, todo sea con tal de volver a ver a su hija. Después que Castillo le contara sobre su corta visita, mientras él todavía estaba inconsciente, sintió que su intención de limpiarse tenía mucho más sentido. Claro, apenas había dado el primer paso. Bueno, técnicamente, lo estaba dando, y era ingresarse en un centro de rehabilitación. Aunque en realidad la clínica no quedaba en el Centro, quedó con la doctora

Camila para encontrarse allí y luego ella misma lo llevaría. Era la misma doctora quien le recetó su última receta de naloxona. Quería descartar cualquier posibilidad de recaída. Además, la última pastilla de naloxona se la había tomado el día anterior. Un amigo de ella se había ofrecido para hospedarlo después que le dieran de alta en el hospital.

«Aleluya», dice Goya cuando por fin puede entrar en un vagón. Al observar a las personas y los rostros que le rodean, siente un pequeño vértigo. ¿Cuántos años había desperdiciado sintiendo lástima de sí mismo, viviendo en el pasado, abandonado al delirio de los sentidos? Hacer lo correcto siempre es lo más difícil, vaya aliciente. Para incentivos, nada como una experiencia cercana a la muerte.

A veces lo asaltan recuerdos fugaces de la noche en que él y Castillo se pararon frente a la puerta del apartamento de Catrina González y llamaron. Todavía recuerda el sonido metálico de la pistola cargándose al otro lado de la puerta y el frío que lo recorrió al sentir los impactos de bala en su cuerpo. Apenas alcanzó a sacar su arma y, si acaso, disparar dos o tres veces. Pero lo hizo. El día que mataron a Pérez ni siquiera le dio tiempo de eso. Cuando vio a Aneth sacando su pistola, sintió que otra vez se encontraba en la pesadilla que lo asaltaba tantas noches. Solo trató de llevar a Castillo al suelo, pero entonces recibía los disparos y caía él. Recuerda cierto alivio cuando la vio de pie, con vida, pero también recuerda la inmensa tristeza cuando sintió que se iba sin poder ver a Laura por última vez. Después todo se vuelve borroso: luces, voces, sirenas y más luces. En algún momento soñó que el suceso se repetía, que volvía al apartamento de Nina. Y, cuando sintió los disparos, despertó asustado. Por fortuna, Aneth estuvo ahí para calmarlo, para decirle que ya todo había pasado. Nina murió en el intercambio. Ella también había resultado herida, pero estaba bien. Sotomayor dio una rueda de prensa y la noticia circulaba por todo el país. Sin embargo, casi nadie se interesaba en los inspectores a cargo, dijo ella. Goya le respondió que mejor se acostumbraba a eso. El público siempre es ingrato con la Policía y, en parte, tenían razón. Es mejor así. Es mejor no alimentar el ego de los oficiales de la fuerza. Si no, se transforman en políticos, y de eso ya tenemos suficiente. Goya se pregunta cómo estará Castillo. Se ha ido a descansar por unos días a Aborín. Le ha dicho que tenía cosas que resolver y que quería comer de la torta de zanahoria que hacía su tía. La vio algo cabizbaja antes de irse. En parte, por eso le dijo que no se preocupara, que ella iba a estar bien, que ella era una buena persona. Estaba seguro de eso. Lo decía sinceramente.

Goya se baja en la estación del Centro. Está igual de atestada de personas. Cuando sale a la superficie se da cuenta de que ha dejado de llover. Comienza entonces a caminar hacia el centro de apoyo de Camila.

En el camino piensa en Nina. La recuerda todavía cantando en aquel bar, no muy lejos de las calles por donde camina, recuerda el dolor y la soledad que se insinuaba en su canto. Goya se pregunta qué habrá en la tristeza que nos hipnotiza tanto, que nos engancha y hasta nos puede encadenar.

Por fin llega al centro de apoyo. Al entrar al salón, ve las sillas dispuestas en círculo. La mayoría están ocupadas. Otro grupo pequeño termina de servirse café y se dirige a las sillas. Entonces ve a Camila, parada, hablando con una señora. Goya mira la hora. Son casi las siete y media. Se suponía que ya tenía que haber terminado con el grupo. Pero entiende. Se dispone a retirarse, pero Camila advierte su presencia.

—¡Don Guillermo! —le grita ella.

Goya voltea y con el brazo que puede mover le indica que regresará más tarde.

—¡Goya! —vuelve a gritar ella cuando lo ve tratando de escabullirse otra vez.

El inspector voltea y la observa parada tras una silla desocupada, tomándola por el espaldar. El gesto en el rostro de Camila es más que sugerente de lo que quiere que él haga. Goya suelta un suspiro y murmura para sí «está bien, está bien». Pasa por la mesa del café. Ya que va a hacer eso, bien puede aprovechar todo el café que pueda. Mientras se acerca a la silla, Camila se sienta en la suya, del otro lado. El inspector se sienta y toma unos sorbos de café.

Camila entonces empieza a hablar un poco del centro de apoyo y de lo que hacen, para aquellos que se encuentren allí por primera vez. A continuación, dice unas palabras con respecto a las reglas de la sesión y su funcionamiento, también para aquellos primerizos. Goya ya sabe todo eso.

—Bien —dice Camila, finalizando—. Tome la palabra quien quiera y siéntase libre de compartir con el grupo su experiencia. Recuerden que no estamos aquí para juzgar.

Camila carraspea y mira a Goya. Este se hace el desentendido. Entonces vuelve a carraspear con más fuerza. Goya voltea. La mira un poco incrédulo. Y la mirada que ella le devuelve lo despeja de cualquier duda. Goya exhala una cantidad de aire considerable y le da otro sorbo a su café.

En fin, todo sea con tal de volver a ver a su hija.

—Mi nombre es Guillermo Goya. Soy un alcohólico, un adicto a las drogas y un mal padre. Tengo aproximadamente dieciséis horas sin consumir y todo comenzó de la siguiente manera...

FIN

Aneth y Goya regresan en la segunda novela de la serie *Aneth y Goya: Engaños y delitos*. Adquiérela aquí:
https://geni.us/enganosydelitos

NOTAS DEL AUTOR

Espero hayas disfrutado la lectura de esta novela.

Si te gustó mi obra, por favor déjame una opinión en Amazon. Las críticas amables son buenas para los autores y los lectores... y un estudio reciente (realizado por mi persona) también indica que escribir una opinión positiva es bueno para el alma ;)

¿Sabías que ahora también puedes disfrutar de mis historias en audiolibros? Te invito a gozar de esta experiencia con mi relato *Los desaparecidos*. Escúchalo **gratis** aquí: https://soundcloud.com/raulgarbantes/losdesaparecidos

Puedes encontrar todas mis novelas en mi página web: www.raulgarbantes.com

Finalmente, si deseas contactarte conmigo puedes escribirme directamente a raul@raulgarbantes.com.

Mis mejores deseos,
Raúl Garbantes

amazon.com/author/raulgarbantes

goodreads.com/raulgarbantes

instagram.com/raulgarbantes

facebook.com/autorraulgarbantes

twitter.com/rgarbantes

Made in United States
Orlando, FL
01 August 2023

35654815R00118